D1540852

André Besson

LA FRANCHE COMTÉ

Photographies : Atelier M. Bevalot Photothèque

ÉDITIONS OUEST-FRANCE
13 rue du Breil, Rennes
CÊTRE

Franche-Comté : pays des eaux vives, des cascades et des lacs (ci-dessus le lac de Malbuisson).

Franche-Comté : vieille terre chargée d'histoire où les vestiges des châteaux forts illustrent la fière devise :
« Comtois, rends-toi !
Nenni, ma foi ! »
Ci-contre la forteresse de Monfaucon.

Ci-contre à droite :
Sauvage et indomptable, la Loue jaillit des flancs de la montagne.

En première de couverture :
Version brochée : *Le château de Joux.*
Version cartonnée : *La Chaux de Gilley.*

En quatrième de couverture : *Lever de soleil au sommet du Mont d'Or.*

INTRODUCTION

Sur les images transmises par satellite, la chaîne du Jura, épine dorsale rocheuse de la Franche-Comté, apparaît comme un gigantesque croissant arc-bouté entre le Rhin et la haute vallée du Rhône. Ce massif d'origine karstique se distingue des autres régions de montagne françaises par une architecture tout à fait spéciale, exemple le plus typique de ce que les géographes appellent une chaîne de plissement. Ses couches géologiques semblent en effet s'être drapées, à l'ère tertiaire, à la façon d'une étoffe. C'est la raison pour laquelle les zones de plateau y alternent presque régulièrement avec des sinuosités anticlinales qui culminent à 1723 mètres d'altitude au **crêt de la Neige.**

Grand corps vivant irrigué par un réseau artériel très dense de rivières, de torrents, la Franche-Comté recèle aussi dans les profondeurs ombreuses de ses combes, de nombreux lacs couleur turquoise, tels des joyaux enchâssés dans un diadème de verdure.

Vu d'en haut, le vert est partout dominant car ce territoire, autrefois entièrement boisé, est encore aujourd'hui recouvert par l'épaisse toison de ses forêts, dont les 695 000 hectares constituent une formidable réserve de chlorophylle.

Pays de moyenne montagne au climat vivifiant, la Franche-Comté est connue depuis longtemps pour ses vertus curatives. De son sous-sol, qui renferme d'immenses bancs de sel gemme, ces mines **d'or blanc** déjà exploitées par les Romains, jaillissent aussi des sources d'eaux thermales qui, comme à Lons-le-Saunier, Salins ou Luxeuil-les-Bains, accueillent chaque année de nombreux curistes.

Sur les bords du lac de Chalain, les hommes de la préhistoire construisirent une étonnante cité lacustre.

LA FRANCHE-COMTE A L'ERE GALLO-ROMAINE

Ce pays fut de tout temps une terre de passage empruntée, depuis l'Antiquité, par les envahisseurs venus de l'Est ou du Sud. Dans cette contrée aux forêts quasi impénétrables, des peuplades vécurent dès l'âge de pierre le long des rivières et des plans d'eau. On a retrouvé des vestiges de leur outillage primitif dans certaines grottes et des traces de leurs cités lacustres, notamment en bordure du **lac de Chalain.**

Venus en alliés des Séquanes — tribus celtes locales — pour les aider à repousser des envahisseurs, les Romains apportèrent dans cette région le progrès d'une civilisation avancée. Des routes furent construites. Des bourgades s'urbanisèrent. Ce fut le cas de **Vesontio** (Besançon), **d'Epomanduodurum** (Mandeure) qui connurent un grand essor économique. Plusieurs monuments bisontins, la **Porte noire,** les colonnes corinthiennes du **square Castan,** attestent encore aujourd'hui la magnificence passée de l'ancienne capitale séquane à l'ère galloromaine.

LES DEBUTS DU CHRISTIANISME EN COMTE

Aux échanges de biens matériels et artistiques entre Rome et la Séquanie, s'ajouta, vers l'an 50 de notre ère, un événement spirituel capital : l'arrivée des premiers missionnaires chrétiens. Sans abandonner totalement leurs vieilles coutumes celtiques,

A Mandeure, le théâtre galloromain pouvait accueillir 12 000 spectateurs.

comme en témoigne le mystérieux **taureau à trois cornes**
découvert à Avrigney, les
autochtones se laissèrent
gagner par les idées tolérantes
et généreuses de la nouvelle
religion. L'enracinement du
christianisme ne devait plus
jamais être remis en cause par
la suite.

Une période de grand
désordre succéda, dès le IIIᵉ
siècle, à la *pax romana*.
Déferlant d'Europe centrale tel
un raz de marée dévastateur,
les hordes sauvages des
Visigoths, des Saxons et autres
Vandales, détruisirent la plupart des cités de la prospère
Séquanie.

Ces calamités ne cessèrent
qu'à l'arrivée des Burgondes,
guerriers redoutables originaires de la Baltique. Ils
devinrent les nouveaux maîtres
du pays auquel ils donnèrent le
nom de Burgondie, qui devait
se transformer plus tard en
Bourgogne.

Vers l'an 425, deux grands
mystiques se fixèrent dans le
Haut pays : les frères Romain
et Lupicin. Ils fondèrent le
monastère de **Condat** (futur
Saint-Claude), tandis que le
moine Colomban édifiait celui
de **Luxeuil,** au pied des
Vosges saônoises.

Saint Colomban fonda le monastère de Luxeuil-les-Bains, en l'an 490.

UN FAROUCHE ESPRIT D'INDEPENDANCE

Après Charlemagne, d'au-
tres envahisseurs, venus du
Sud cette fois, les Sarrazins,
ravagèrent à nouveau la

contrée. Celle-ci ne retrouva la
paix et la prospérité que sous
le règne de Frédéric
Barberousse. Désormais lié au
sort de l'Empire germanique,

le pays jurassien allait
connaître le destin tourmenté
de cet Etat bientôt morcelé en
une multitude de petites sei-
gneuries rivales.

Intégrée au duché de Bourgogne, la province manifesta en 1336 des velléités d'indépendance. Elle prit le nom de **Franche-Comté.** Par la suite, bien qu'ils fussent contraints de dépendre, au gré des tribulations dynastiques, tour à tour des mouvances françaises, lotharingiennes, autrichiennes ou espagnoles, les Comtois ne perdirent jamais plus conscience d'appartenir à une petite « nation » originale et cherchèrent sans cesse à affirmer leur personnalité. Cet esprit d'indépendance les fit s'opposer plusieurs fois au royaume de France qui voulait les annexer. C'est ainsi qu'ils repoussèrent victorieusement les assauts des armées de Louis XI, puis celles de Louis XIII, notamment au cours du mémorable siège de Dole en 1636.

Finalement, au terme d'une guerre atroce de trente années, Louis XIV parvint, en 1674, à vaincre la résistance de ce peuple courageux qui avait illustré vaillamment, durant deux siècles sa fière devise :
**« Comtois rends-toi !
Nenni ma foi ! »**

Aujourd'hui, bien qu'ils se fussent fondus, avec le temps, dans le creuset de l'Etat français, les habitants de Franche-Comté ont conservé le même attachement que leurs ancêtres pour leur terroir et leurs traditions. Monolithes celtiques, vestiges gallo-romains, castels féodaux accrochés en nids d'aigles au-dessus des éperons rocheux, abbayes blotties au creux des vallées, sont autant de témoins qui rappellent aux visiteurs le passé glorieux de cette belle province.

La « Pierre des Fous », l'étonnant cénotaphe de Saint-Dizier-l'Evêque.

Un pur joyau de l'art roman : l'église de Saint-Hymetière, dans le Jura sud.

L'ART PRIMITIF DE LA SCULPTURE SUR PIERRE

Si le celtisme n'a laissé que peu de traces en Comté, à l'exception de quelques pierres levées et de tumulus, le christianisme y a par contre jalonné son histoire de nombreux monuments religieux. Les **stèles funéraires** de Luxeuil-les-Bains, encore imprégnées de paganisme, la **Pierre des Fous** de Saint-Dizier-l'Evêque, la **façade carolingienne en triangle** de l'église de Saint-Lupicin, les mystérieuses **croix pattées** de la vallée des Anges au pied du massif de la Serre, sont autant de témoignages attestant l'existence d'un véritable art de la sculpture sur pierre en Franche-Comté aux premiers temps de l'ère chrétienne.

Du XIᵉ au XIIIᵉ siècle, la province connut une prospérité relative qui vit l'éclosion de nombreuses églises dans le style du premier art roman. Les petits sanctuaires de Grandecourt et de Saint-Hymetière, les nefs d'Arbois et de Gigny-sur-Suran, dans leur émouvante rigueur, conservent leur fraîcheur primitive et la sobriété qui convenait à la foi sereine des chrétiens de l'époque médiévale.

DES MONASTERES CISTERCIENS AUX SANCTUAIRES GOTHIQUES

A partir des débuts du XIIe siècle, on assista, en Comté, à une extraordinaire floraison monastique. Les Cisterciens y restaurèrent ou y fondèrent douze abbayes en l'espace d'une génération. Dans une sainte émulation, d'autres ordres entreprirent également de nombreuses constructions conventuelles. Les magnifiques ensembles prioraux de Baume-les-Messieurs et de Marast, le cloître de Montbenoît, l'abbaye d'Acey, dont les voûtes dépouillées résonnent toujours des chants des fils de saint Benoît, sont autant d'édifices qui témoignent de nos jours du génie architectural des moines bâtisseurs.

Si la transition entre le roman et le gothique se fit tardivement en Franche-Comté, elle n'en inspira pas moins la construction de plusieurs églises remarquables. Celle de Chauvirey-le-Chatel, achetée en 1934 par la famille Rockefeller, faillit partir aux Etats-Unis. Elle fut sauvée in extremis grâce à l'opposition unanime de ses paroissiens. La collégiale Saint-Hippolyte de Poligny, la basilique mineure de Dole, la flèche octogonale de l'église Saint-Laurent à Mouthier-Haute-Pierre, véritables phares spirituels, sont caractéristiques de l'art gothique en Comté. Elles dominent toutes, de leurs masses imposantes, les villes ou les villages groupés à leurs pieds.

Ci-contre : *Fondée en 1140, l'abbaye cistercienne d'Acey reste un haut lieu spirituel de Franche-Comté.*

Au cœur du Saugeais, le délicieux cloître de l'abbaye de Montbenoît.

DES ARTISANS MODESTES, DES ARTISTES CELEBRES

Le XVIIIe siècle vit, en Franche-Comté, la création de clochers d'un type nouveau dit « **en impérial** », c'est-à-dire sous forme de dômes, tantôt bulbeux, tantôt de plans carrés ou hexagonaux, parfois agrémentés de lanternons, souvent couverts de tuiles vernissées. Ces clochers sont presque toujours surmontés d'une croix en ferronnerie et d'un coq mobile en métal servant de girouette.

Mais ce fut surtout dans les domaines de la statuaire et du mobilier religieux que se manifesta, au cours des siècles, le talent des artistes chargés de la décoration des églises franc-comtoises. Nous serions contraints à une longue énumération s'il fallait citer tous les chefs-d'œuvre que nous ont légués ces artistes connus ou inconnus. Nous ne saurions toutefois passer sous silence le monumental **retable à volets** sculpté et peint, œuvre anonyme de l'école flamande du début du XVIe siècle, visible à l'abbaye de Baume-les-Messieurs ; les **stalles sculptées** par le Genevois Jehan de Vitry au XVe siècle pour l'abbaye de Saint-Claude ; la majestueuse **tribune d'orgues** de la basilique Saint-Pierre-de-Luxeuil ; la très curieuse **Rose de Saint-Jean,** autel circulaire en marbre blanc du XIe siècle, fleuron de la cathédrale de

L'autel circulaire, en marbre blanc de la cathédrale Saint-Jean à Besançon, porte cette inscription en latin : « Ce signe donne au peuple le royaume des cieux. »

L' étonnante « corniche aux babouins » de Chissey-sur-Loue.

Besançon ; l'étonnante **cha-pelle des Andelots** du XVIe siècle, en l'église Saint-Hilaire à Pesmes.

Ces œuvres d'art sont parfois logées dans de modestes sanctuaires, comme les **boise-ries** et **le mobilier rocaille** conçu au XVIIIe siècle pour l'église de Goux-les-Uziers par Auguste Fauconnet, génial ébéniste de campagne ; à Chissey-sur-Loue, où l'on peut admirer l'émouvante **Vierge aux Avents** et l'étrange **cor-niche aux babouins** ; à Villers-le-Lac où la mer-veilleuse petite **chapelle des Bassots** offre à ses visiteurs le plaisir de contempler ses trois autels-retables et son féerique décor polychrome.

Très attachés à leurs presti-gieux monuments du passé, les Francs-Comtois ne sont cependant pas hostiles à la novation. L'épanouissement de l'art sacré contemporain avec la **chapelle Notre-Dame-du-Haut** à Ronchamp, conçue par Le Corbusier, la futuriste église Saint-Jean à Dole, avec sa **scène de l'Apocalypse** en acier forgé, par Calka, **les verrières** de Manessier aux Bréseux et le **Sacré Cœur** d'Audincourt décoré par Bazaine et Fernand Léger, démontrent que cette province reste ouverte aux créations artistiques les plus hardies.

Quatre grands artistes contemporains : Maurice Novarina, Fernand Leger, Jean Bazaine, et Jean Le Moal, ont conjugué leurs talents pour faire de l'église du Sacré-Cœur d'Audincourt un chef-d'œuvre de l'art religieux moderne.

Admirablement restauré par le peintre Pierre Jouffroy, le fier donjon du XIIIe siècle du château de Belvoir domine toujours le vallon de Sancey.

DES MURAILLES
LEGENDAIRES

La plupart des forteresses médiévales de Franche-Comté, qui répondaient aux nécessités de la défense contre la France, furent rasées par les armées de Louis XI, de Henri IV, de Louis XIII et de Louis XIV lors des interminables guerres de conquête de la province. Seules, quelques-unes d'entre elles sont encore en partie intactes. Elles continuent de

monter, au sommet des collines, une garde immuable, devenue heureusement inutile.

Grâce à de courageux travaux de dégagement et à des restaurations judicieuses, certains de ces très vieux châteaux sont offerts aujourd'hui à l'admiration du public. Celui d'**Arlay,** construit au XIIe siècle, domine un vignoble réputé. Il témoigne de l'intelligence avec laquelle ses bâtisseurs, les comtes de Chalon, avaient su exploiter cette position stratégique lors de son implantation.

Impressionnante place forte moyenâgeuse, le **château du Pin** serait, dit-on, encore hanté par un fantôme estival chargé de veiller sur un fabuleux trésor enfoui dans ses caves. Quant au donjon du XIIe siècle d'**Abbans-Dessus,** solidement assis sur un éperon rocheux, il surplombe depuis tantôt neuf siècles les vallées du Doubs et de la Loue qui se rapprochent en cet endroit. Cette tour massive vit naître, en 1751, celui qu'on appela par dérision « Jouffroy-la-Pompe », le génial inventeur du **pyroscaphe,** le premier bateau à vapeur.

Cléron, l'un des plus beaux sites de la verdoyante vallée de la Loue.

15

Construit au XIIIᵉ siècle sur les ruines d'un *castellum* gallo-romain, le **château de Belvoir,** après avoir appartenu à la combative baronne Jeanne de Montfaucon, puis au XVIIᵉ siècle à la belle Béatrix de Cusance, immortalisée par un tableau célèbre de Van Dick, est devenu, il y a trente-cinq ans, propriété du peintre Pierre Jouffroy. Grâce au travail persévérant de toute la famille de l'artiste, la vaste bâtisse menacée par la ruine a été entièrement restaurée. A présent, des dizaines de milliers de touristes viennent chaque année admirer cette magnifique demeure médiévale et l'exposition permanente des œuvres du grand peintre comtois.

Selon la légende, un clairon magique serait à l'origine de la naissance du **château de Cléron** dont le fondateur fut un chevalier valeureux de Charles le Chauve. En bordure des eaux vives de la Loue, où se mire son élégante façade, les vestiges de la **tour de la Folle,** du XIVᵉ siècle, s'intègrent harmonieusement aux constructions plus récentes.

PALAIS ET CHATEAUX DE LA RENAISSANCE

Les vieilles familles nobles de Franche-Comté tinrent longtemps à l'aspect quelque peu hautain et guerrier de leurs demeures. L'art de la Renaissance arriva de ce fait tardivement dans la province. La belle façade du **château de Buthier,** ornée par les figures des Rois mages, la fine ornementation du **château de Vergy** à Champlitte, font éclater les fastes d'une décoration raffinée qu'on retrouve au **château de Filain,** notamment dans la monumentale cheminée de la salle des gardes où **un grand cerf sculpté** en relief dans le marbre, jaillit d'un décor sylvestre.

Dans les villes, de nombreux palais et hôtels particuliers attestent aussi la vitalité de l'art de la Renaissance en matière architecturale. A Besançon, le **palais Granvelle,** avec ses arcades en anse de panier et son cloître élégant ; à Gray, la façade de l'**hôtel de ville** et son vaste toit couvert de tuiles polychromes ; la sobre beauté de l'**hôtel-Dieu** de Dole avec sa cour agrémentée de deux rangs d'arcades superposées et sa corniche d'une étonnante variété ; la **Maison Forstner** à Montbéliard et ses fenêtres cantonnées de colonnettes cannelées, marquent l'apogée et la plénitude de l'art italien en Comté.

Ci-contre : *A Besançon, la cour intérieure du Palais Granvelle est une merveille de l'architecture de la Renaissance en Franche-Comté.*

A quelques kilomètres de Vesoul, le château de Filain, du XVIIᵉ siècle.

LES BELLES DEMEURES
NEO-CLASSIQUES

Il fallut attendre la seconde moitié du XVIIIe siècle, après que la Franche-Comté eut pansé ses plaies multiples, pour voir naître de nouvelles constructions. Des nobles, des riches parlementaires, édifièrent de somptueuses demeures dont le nouveau style néo-classique supplanta les ultimes survivances de l'art de la Renaissance. L'ancien **palais de l'Intendance** à Besançon, construit en 1778, aujourd'hui « la plus belle préfecture régionale de France » ; le monumental **château de Moncley** et sa façade majestueuse s'inspirant à la fois du Palladio et de l'antique, sont les plus beaux spécimens des résidences aristocratiques qui furent construites peu de temps avant la fin de l'Ancien Régime.

Œuvre de l'architecte visionnaire Claude-Nicolas Ledoux, la « cité idéale » déploie sa séduction au centre du Val d'Amour.

LA FABULEUSE SALINE ROYALE D'ARC-ET-SENANS

Le monument le plus grandiose, le plus extraordinaire de Franche-Comté est sans

conteste la **saline royale d'Arc-et-Senans.** Elle fut conçue au XVIIIe siècle par l'architecte Claude-Nicolas Ledoux afin de résoudre, dans cette province, un grave problème énergétique et industriel. Il était en effet apparu à cette époque, que la ville de Salins où l'on exploitait depuis fort longtemps un important gisement de sel gemme, allait bientôt manquer de bois pour alimenter les feux de ses chaudières à saumure.

Partant du principe qu'il était « plus facile de faire voyager l'eau salée que de voiturer de loin une forêt en détail », Ledoux décida de

Depuis cette imposante maison, la direction de la Saline Royale surveillait le travail des sauniers au XVIIIe siècle.

Les colonnades
en bossage
de la maison
du directeur.

En pages suivantes : *Depuis des siècles, l'impressionnante citadelle de Vauban veille sur la sécurité de Besançon.*

afin d'arriver à la forme la plus proche du bonheur. Construite selon un plan circulaire « pur comme le soleil dans sa course », coupée d'artères rayonnantes en direction de la forêt et de la Loue, la rivière voisine, la **cité idéale de Chaux** devait, dans l'esprit de l'architecte, s'ordonner autour du **pavillon du Directeur** et comprendre, outre des ateliers de travail, des lieux de détente, piscine, terrains de jeux, maison de plaisirs...

Les finances royales ne permirent pas, hélas ! la réalisation intégrale de ce projet fantastique. Seule, la moitié sud de l'édifice, la partie industrielle, fut construite. Admirablement rénovée, cette étonnante création architecturale du XVIIIe siècle donne aujourd'hui à ses visiteurs une image grandeur nature de ce que devait être l'harmonieux phalanstère imaginé par Ledoux.

Ce monument grandiose, qui abrite aujourd'hui un intéressant **musée du Sel** ainsi que le **Centre international de réflexion sur le futur** est ouvert toute l'année. On peut y admirer en outre de grandes expositions scientifiques et artistiques, y assister à des concerts, y côtoyer des savants, des artistes, des écrivains du monde entier. Ainsi se trouve réalisé le rêve de l'architecte visionnaire qui avait prédit : « Ici, c'est l'art qui développera les ressources des lieux et préparera l'abondance des siècles à venir. »

construire une nouvelle saline dans un petit village situé à cinq lieues de Salins, à la lisière de l'immense forêt de Chaux (qui s'étend encore de nos jours sur près de 14 000 hectares).

Le problème de l'alimentation en bois ne se posant plus, il suffisait d'amener la saumure sur place par de rustiques canalisations faites avec des troncs d'arbres évidés, et la nouvelle fabrique pourrait fonctionner à moindre coût.

A Arc-et-Senans, Claude-Nicolas Ledoux eut la vision d'une ville de 5000 habitants, aménagée autour d'un noyau industriel pour intégrer, dans une harmonie très rousseauiste, le travail des hommes à leur vie familiale et sociale,

LES IMPRESSION-NANTES FORTIFICA-TIONS DE VAUBAN

Reconnue depuis l'époque gallo-romaine, confirmée sans cesse par la suite lors des grandes invasions barbares puis durant les guerres interminables contre la France, l'importance de la position stratégique de la Franche-Comté n'échappa pas non plus à Louis XIV.

Dès l'annexion de la province, il commença à faire fortifier un certain nombre de cités afin de défendre ses nouvelles possessions contre tout danger de reconquête venu de l'Est. Vauban fut le véritable maître d'œuvre de cette gigantesque entreprise à laquelle participèrent plusieurs milliers d'ouvriers.

A Belfort, le grand ingénieur fit renforcer le **vieux château** et dota la ville d'une impressionnante enceinte pentagonale bastionnée doublée de larges fossés extérieurs. La qualité de ces travaux, améliorés plus tard par Haxo, permit, lors de la guerre de 1870-71 au général Denfert-Rochereau de soutenir victorieusement un siège mémorable contre l'armée prussienne. Cet événement devait être, par la suite, immortalisé par le célèbre *Lion de Belfort* du sculpteur Bartholdi.

A Besançon, Vauban compléta les défenses de la ville, déjà très bien conçues, par de nouvelles murailles, des forts, des glacis et des casernes. Il fit aménager les **quais du Doubs** et édifier le remarquable ensemble architectural qui porte son nom.

A Salins-les-Bains, le génial constructeur militaire fit bâtir le **fort Belin** et le **fort Saint-André,** deux redou-

Un aspect des souterrains de l'inexpugnable forteresse.

Le quai Vauban qui mire ses façades dans le Doubs.

tables forteresses sur les sommets dominant la vallée de la Furieuse, passage le plus direct pour gagner le Haut pays depuis la plaine doloise.

Les efforts de Vauban portèrent aussi sur la défense de la frontière franco-suisse dans la région de Pontarlier. Il renforça le vieux **château de Joux.** Depuis le XIIe siècle, celui-ci

gardait la cluse menant vers Lausanne et Neuchâtel, au centre d'un site d'une beauté extraordinaire. Le château de Joux devait, par la suite, devenir prison d'Etat. Des personnages célèbres y furent enfermés : Mirabeau, le poète allemand von Kleist et le général noir Toussaint-Louverture qui y trouva une mort mystérieuse.

Témoins d'une époque révolue, les fortifications construites par Vauban sont aujourd'hui de véritables musées de rocs et de pierres. Elles offrent aux touristes des temps modernes l'occasion de découvrir, dans un très bon état de conservation, les plus belles réalisations d'architecture militaire du XVIIIe siècle.

LES FORETS, LES LACS, LES CASCADES ET LES GROTTES

En Franche-Comté, le charme de la nature fait partout une rude concurrence à la beauté des monuments édifiés par les hommes. C'est un pays dont les couleurs changeantes ne cessent de donner, à chaque détour de route, un aspect nouveau au paysage.

Des vertes plaines nourricières du Val de Saône aux vignes rousses du Revermont, des vallées où serpentent de glauques rivières aux gigantesques marches calcaires accédant aux plateaux du Haut pays, la magnificence de la nature trouve ici son expression la plus complète, la plus suggestive. C'est comme si un génial metteur en scène, pour valoriser ce prodigieux décor, ménageait avec soin ses effets sans jamais lasser le spectateur, enchaînant séquence après séquence pour en faire surgir sans cesse de plus merveilleuses.

Partout, des belvédères d'un accès facile permettent de contempler de magnifiques panoramas. A Consolation, la **Roche du Prêtre** domine la vallée du Dessoubre du haut d'une falaise vertigineuse. A Charquemont, on peut frissonner devant les **Echelles de la Mort,** autrefois périlleux passage emprunté par les contrebandiers. A Crançot, c'est la découverte d'un des plus prestigieux paysages de Franche-Comté : la **reculée de la Seille.** Au sommet du **Mont-Rond,** après quelques minutes d'ascension depuis le **col de la Faucille,** on a une vue splendide sur le lac Léman et les cimes enneigées des Alpes. En arrivant au faîte du **Grand Taureau,** près de Pontarlier, c'est toute la chaîne du Jura suisse qui s'offre au regard.

Les forêts comtoises sont aussi des buts d'excursions appréciés par ceux qui aiment la marche. Elles sont innombrables, toutes différentes de taille et d'aspect. Elles étendent leurs toisons au vert plus ou moins tendre, plus ou moins sombre selon les essences, de la forêt **Saint-Antoine** dans les Vosges saônoises, jusqu'au sévère massif

Ci-contre : Semblables aux piliers des cathédrales, les fûts des sapinières s'élancent vers la lumière.

L'exploitation forestière est l'une des richesses du Haut pays comtois.

du **Risoux** sur les crêtes frontalières de la Suisse.

Comment ne pas s'émerveiller en parcourant l'immense **forêt de Chaux** aux routes jalonnées de curieuses colonnes toscanes ? Ne pas être tenté de goûter un instant de repos à la lisière des **prés-bois** sur les plateaux de Maîche ou de Levier ? Qui ne serait impressionné par les noirs escadrons des **sapins présidents** de La Joux ? Troublé par le silence, le mystère entourant le passé de la **forêt du Massacre ?**

Ce pays est également celui des eaux vives. Jaillissant de partout aux flancs des montagnes, des sources claires, comme celles de **la Loue,** de **la Billaude,** du Lison, alimentent des torrents fougueux. Ils dévalent parfois des hauteurs en cascades échevelées, notamment au **Saut du Doubs,** au **Hérisson,** avant de s'assagir en arrivant sur les plateaux ou de s'endormir dans le miroir immobile des bassins naturels ou artificiels.

Les lacs sont en effet très nombreux à scintiller sous le soleil dans tout le Haut pays comtois. Ceux de **Saint-Point** et de **Chalain** sont les plus connus. Mais ceux de **Remoray,** des **Rouges-Truites,** de **Bonlieu,** des **Rousses** et de **Clairvaux** ont aussi bien des attraits. Quant à la retenue du **barrage de Vouglans** qui m'inspira le drame du *Village englouti,* l'engouement des touristes pour ses abords aménagés a compensé, avec le temps, le grave préjudice subi par les

A chaque détour de route, des belvédères aménagés permettent de découvrir de merveilleux paysages comme ci-dessus le site des quatre lacs.

Ci-contre : *Le vertigineux « Saut du Doubs » à la frontière franco-suisse.*

populations locales et la destruction de la **chartreuse de Vaucluse.**

Très souvent, les eaux des torrents et des rivières s'en-

gouffrent dans des failles et circulent ensuite, en nappes souterraines, avant de ressurgir plusieurs kilomètres en aval au creux d'une combe ou au fond

d'une grotte. Jadis effrayant, l'univers mystérieux de ces cavernes, que l'on appelle ici des **Baumes,** est devenu aujourd'hui un but d'exploration scientifique pour les spéléologues et pour le grand public celui de découvertes touristiques fascinantes. Le **gouffre de Poudrey,** les **grottes d'Osselle,** les **grottes des Planches,** véritables cathédrales souterraines, offrent à leurs visiteurs le spectacle féerique de leurs stalactites et de leurs stalagmites rendues multicolores par de savants jeux de lumière.

A LA DECOUVERTE DES ECRIVAINS FRANCS-COMTOIS

Les invasions, les famines, les épidémies qui ravagèrent sans cesse la Franche-Comté depuis l'Antiquité, n'y furent guère favorables à l'épanouissement de grands mouvements littéraires spécifiques, comme en d'autres régions de France.

Si certains historiens émettent l'hypothèse selon laquelle la **Chanson de Roland** pourrait avoir des origines comtoises, il est par contre plus vraisemblable que Jean Renart, auteur du **Roman de Guillaume de Dole**, l'histoire très romancée des aventures de Frédéric Barberousse, eut sans doute des affinités jurassiennes au XIIIe siècle.

Sous la Renaissance, de brillants esprits, souvent issus de l'université de Dole dont la renommée s'étendait alors à l'Europe entière, firent rayonner les lettres comtoises bien au-delà des limites des frontières de la province. Tel fut le cas de l'humaniste Gilbert Cousin, de Louis Gollut, de Nicolas Perrenot et des Carondelet.

Expression d'un art populaire toujours vivace, « la Crèche franc-comtoise » telle qu'on la représente dans les vitrines du Musée du folklore comtois, à la Citadelle de Besançon.

Si le XVIIe siècle fut surtout celui des grands historiens : Jules Chifflet, Antoine Brun, Jean Boyvin, Girardot de Nozeroy, le XVIIIe ne compta guère de « lumières » littéraires en Franche-Comté. A l'exception de quelques œuvres anonymes, les **Noëls patoisants** et la célèbre **Crèche comtoise**, qui furent d'abord interprétées sur un théâtre de marionnettes — et qui sont encore jouées de nos jours — , c'est à peine si l'on a retenu le nom du dramaturge salinois Fenouillot de Falbaire qui créa quelques pièces à succès.

Parmi les poètes de l'époque, un seul, Rouget-de-Lisle, né à Lons-le-Saunier en 1760, est passé à la postérité en écrivant **la Marseillaise.**

Le XIXe siècle devait donner un essor universel à la pensée comtoise grâce aux travaux de trois philosophes audacieux : Charles Fourier, Victor Considérant et Pierre-Joseph Proudhon. Leurs idées avancées furent à l'origine de la plupart des conquêtes et des réformes politiques, économiques et sociales des temps modernes.

Quant à Charles Nodier, né à Besançon en 1780, ses écrits devaient beaucoup influencer les débuts de son jeune compatriote Victor Hugo, de même que les œuvres de tous les créateurs, écrivains et artistes, qui se réclamèrent par la suite du romantisme.

Dans le domaine de la littérature populaire, Xavier de Montépin, auteur du **Médecin des pauvres,** réédité sans cesse depuis plus de cent ans, fut un romancier et dramaturge parmi les plus prolifiques.

En pages suivantes : C'est à Abbans-Dessus, son village natal, que « Jouffroy -chaudron » réalisa ses premières expériences.

Deux écrivains marquèrent fortement de leur empreinte la première moitié du XXe

A Lons-le-Saunier, la statue de Rouget de Lisle rappelle aux visiteurs que l'auteur de « La Marseillaise » naquit dans cette ville en 1760.

siècle : Louis Pergaud, dont les récits animaliers et les tableaux de mœurs villageoises sont tous situés sur le plateau du Haut-Doubs, au pied des **montagnes du Lomont ;** Marcel Aymé ensuite, dont les racines franc-comtoises expliquent le réalisme et le fantasmagorique de ses romans et de ses pièces. Dans toutes ses œuvres, même celles qu'il écrivit à Paris et qui ont pour cadre la capitale, transparaissent toujours les souvenirs des contes et légendes merveilleuses qu'il avait entendu raconter le soir, durant son enfance, au **Pays des Trois Rivières.**

A côté de ces deux géants de la littérature franc-comtoise du début de ce siècle, un certain nombre d'historiens, de poètes et de romanciers ont également animé la vie littéraire de cette province entre les deux guerres mondiales. Albert Mathiez avec ses importants travaux sur la Révolution française, Lucien Febvre, le père de l'histoire moderne, les poètes Charles Dornier, Charles Grandmougin, Marguerite-Henry Rosier, Alphonse Gaillard, les romanciers Auguste Bailly, Romain Roussel, Louis Gerriet, nous ont laissé des œuvres de qualité.

Ce pays, dont on prétend que les habitants ont un caractère très froid, à l'image de leur rude climat, a néanmoins donné naissance à deux grands humoristes : Georges Colomb dit « Christophe », l'auteur du célèbre *Sapeur Camember* originaire du Lure, et Tristan

Bernard, qui racontait, au sujet de son lieu de naissance : « Je suis né à Besançon, dans la même rue où Victor Hugo avait vu le jour. Lui au n° 138, moi modestement au n° 23. Il y a une plaque sur sa maison natale. Sur la mienne aussi, mais c'est celle de la Compagnie du Gaz ! » (Depuis lors, la municipalité de Besançon a réparé cette injustice et Tristan Bernard a aujourd'hui sa plaque sur sa maison natale.)

L'époque contemporaine, dominée par la carrure massive de Bernard Clavel dont les œuvres les plus marquantes furent inspirées par la Franche-Comté, bien qu'il ait quitté cette province depuis quelques années, connaît un

Jouffroy d'Abbans, l'inventeur de la navigation à vapeur.

foisonnement de talents dans les domaines historiques, poétiques et romanesques, ce qui laisse bien augurer de la vitalité et de l'avenir de la littérature franc-comtoise.

LE GENIE SCIENTIFIQUE DES COMTOIS

La Franche-Comté présente un bilan particulièrement brillant dans les domaines de la recherche, de la découverte et des inventions scientifiques, médicales et industrielles. Les gens de ce pays n'ont jamais manqué d'ingéniosité et cherchèrent toujours à compenser par leur créativité les rendements médiocres de leur terre, soumise à de rudes aléas climatiques.

Déjà, au Moyen Age, les habitants de Saint-Claude se livraient à de minutieux travaux de **tournerie** sur le bois, le fer et la corne et fabriquaient des **objets de piété.** Plus tard, ils devaient inventer l'outillage compliqué qui leur servit lors des différentes opérations de la **taille des pierres précieuses.**

Au XVIIe siècle, Pierre Vernier, d'Ornans, inventa la fameuse **réglette** à laquelle il donna son nom et qui permit la lecture d'une échelle divisée, rectiligne ou circulaire.

Une autre invention devait avoir, un siècle après, un retentissement considérable : celle de la **navigation à vapeur.** Elle eut pour auteur un modeste gentilhomme campagnard, Claude-François-Dorothée Jouffroy d'Abbans, dont le

Précision et élégance, deux qualités de l'horlogerie et de la joaillerie franc-comtoises.

château familial dominait la vallée du Doubs. Avec l'aide de deux chaudronniers de village, sous les quolibets des aristocrates de la région qui , l'affublèrent des sobriquets de « Jouffroy-chaudron » ou « Jouffroy-la-pompe », le jeune inventeur parvint, en 1776, à propulser sur les eaux, à Baume-les-Dames, pour la première fois dans l'histoire de la navigation, un bateau appelé **pyroscaphe,** mû uniquement par l'énergie de la vapeur. Parlant de cette découverte, le grand savant Arago devait déclarer un peu plus tard : « La construction de cette machine, dans une localité où il était impossible de se procurer des cylindres fondus et alésés, était une œuvre de génie, de courage et de patience ; malgré ses imperfections, elle était supérieure à tout ce qui avait été proposé jusqu'alors pour la navigation. »

A peu près à la même époque, le Sanclaudien Antide Janvier, mathématicien et astronome, apportait de nombreuses innovations dans le domaine de **l'horlogerie,** une industrie dont il fut l'un des promoteurs dans le Haut pays.

Dans une autre discipline scientifique, la Franche-Comté devait s'enorgueillir des travaux du savant-naturaliste Georges Cuvier, né à Montbéliard en 1769, auteur des célèbres *Leçons d'anatomie comparée.* Pendant ce temps, le jeune chirurgien Xavier Bichat, originaire de Thoirette, créait **l'histologie,** jetait les bases de **la physiologie** et inaugurait l'étude de

l'anatomie comparée. Tous ces travaux qui devaient révolutionner la médecine et la chirurgie, furent menés sans grands moyens, le plus souvent d'une manière empirique, Bichat en étant réduit à aller nuitamment déterrer des cadavres dans les cimetières afin de disposer de « patients » pour ses recherches et ses autopsies. Ce savant franc-comtois, dont un grand hôpital parisien porte le nom et dont les célèbres **« Entretiens de Bichat »** rappellent chaque année la mémoire, mourut hélas! accidentellement à l'âge de trente et un ans. Rendant compte de son décès à Napoléon Ier, Corvisart déclara : « Bichat vient de mourir. Personne, en si peu de temps, n'a fait tant de choses et aussi bien ! »

Tandis que le Polinois Charles Sauria inventait **les allumettes** chimiques après avoir failli, au cours de ses expériences, mettre le feu au collège de l'Arc, à Dole, Louis Pasteur voyait le jour dans cette ville, en 1822. Par ses recherches sur **la fermentation** lactique et alcoolique qui lui firent préconiser les procédés de stérilisation ; par ses travaux sur **les maladies des vers à soie,** sur **le choléra des poules, le charbon, la septicémie,** qui l'amenèrent à l'emploi préventif ou curatif de vaccins spécifiques, il put vaincre la terrible maladie de **la rage.** Le génie de Louis Pasteur, qui en fit un bienfaiteur de l'humanité, rejaillit sur sa ville natale où un musée perpétue de nos jours le souvenir de ses découvertes.

Deux autres grands savants comtois, les frères Auguste et Louis Lumière, nés à Besançon, respectivement en 1862 et en 1864, par leurs recherches dans les domaines scientifiques et industriels, contribuèrent à l'amélioration des procédés de reproduction

Dole, capitale de l'ancienne Franche-Comté.

photographique. Ils devaient enfin inventer **le cinématographe** en réalisant le premier film animé : *l'Arrivée d'un train en gare de La Ciotat,* en 1895.

Depuis la découverte du procédé de fabrication de **la soie artificielle,** par le comte Hilaire de Chardonnet, chimiste et physicien bisontin, les chercheurs et savants francs-comtois n'ont pas cessé d'innover et d'inventer dans de nombreux domaines : horlogerie, automobile, micro-mécanique, informatique, chimie, biologie, médecine...

Chaque année, les travaux, les découvertes des ingénieurs, des chercheurs publics ou privés, font l'objet de nombreux brevets d'invention qui attestent la pérennité du génie scientifique en Franche-Comté.

PEINTRES ET SCULPTEURS COMTOIS A TRAVERS LES AGES

Pendant des siècles, les artistes comtois furent obligés de s'expatrier car il leur était difficile d'exprimer pleinement leur talent dans une province en proie à de perpétuelles convulsions. C'est la raison pour laquelle il n'exista jamais d'art spécifiquement comtois comme on vit naître par exemple des écoles bourguignonnes, lorraines ou champenoises.

Les sculptures, les peintures encore visibles dans la décoration de certains monuments de Franche-Comté, affirment cependant dans bien des cas une réelle originalité. On peut s'en persuader en admirant l'émouvante *Pietà de Saint-Désiré* à Lons-le-Saunier, le tragique *Dieu de Pitié* de Besançon, les fresques du *Jugement dernier* de Grandecourt. Ces œuvres révèlent la grande maîtrise des artistes locaux anonymes qui les créèrent au Moyen Age, en des temps souvent difficiles.

Le XVIe siècle révéla notamment le talent du peintre graylois Jacques Prévost, dont le magnifique *triptyque* de l'église **Saint-Hilaire** de Pesmes, traduit l'éclat de la Renaissance en Comté.

De très grands sculpteurs marquèrent les décennies suivantes de leur empreinte, cela malgré les bouleversements de la **guerre de Trente Ans** au cours de laquelle de nombreuses œuvres d'art furent pillées ou détruites par les

La belle façade du palais de justice de Besançon.

envahisseurs français. Le Graylois Hugues Sambin, formé à l'école de Michel-Ange, « architecteur » de la façade du **palais de justice** de Besançon, Hugues Le Rupt, auteur de la partie décorative de la **Sainte-Chapelle** de Dole, illustrent parfaitement la plénitude du talent de ces artistes qui firent jaillir de véritables chefs-d'œuvre du marbre ou de la pierre.

Le XVIIIe siècle fut marqué par les remarquables réalisations du Graylois Michel Devosges, par celles de Claude-François Attiret et de Joseph Guyon, auteur de la **porte sculptée des Annonciades** de Pontarlier. Dans le domaine pictural, le Bisontin Donat Nonotte et le portraitiste Wyrsch furent à l'origine du renouveau de cette discipline artistique.

Le XIXe siècle fit émerger non seulement le talent d'un

peintre de génie : Gustave Courbet, d'Ornans, mais également celui de plusieurs artistes au tempérament vigoureux. Parmi ceux-ci, la postérité a retenu les noms du sculpteur Jean-Joseph Perraud, de Monay, auteur de *l'Enfance de Bacchus,* du *Désespéré* ; celui des peintres Jean-Léon Gérôme, de Vesoul, qui brossa de grandes fresques historiques, de Faustin Besson, de Dole, à la peinture élégante et spirituelle, de Jean-Joseph Enders, de Besançon, influencé par le courant réaliste.

Après une longue période de purgatoire, l'œuvre de Gustave Courbet retrouva, dans la première moitié du XXe siècle, grâce au flair des collectionneurs américains, la faveur des critiques d'art et du public. De tous les peintres francs-comtois, il est celui qui a le mieux exprimé la beauté des sites et le caractère des

Pour peindre « L'Enterrement à Ornans » Gustave Courbet prit comme modèles les habitants de sa ville natale.

habitants de cette province. Lorsqu'on lui demandait pourquoi il peignait si bien les paysages d'Ornans et de la vallée de la Loue, il répondait : « Mais, monsieur, c'est parce que je suis de ce pays ! Et parce que je l'aime ! »

La période suivante vit l'émergence d'une pléiade d'artistes de qualité : Jules Adler, de Luxeuil-les-Bains, avec ses scènes réalistes comme celles des *Haleurs* ou de la *Mobilisation ;* Auguste Pointelin, d'Arbois, à l'œuvre discrètement marquée par l'impressionnisme ; Jules Zing, Robert Fernier, Robert Bouroult, André Charigny, les robustes chantres du Haut pays comtois.

Quant à l'époque contemporaine, elle est marquée par un foisonnement de talents. Pierre Klemczynski, Bardonne, Roland et Monique Gaubert, Pierre Bichet, Pierre Jouffroy,

Jean Ricardon, Jean Messagier, Bernard Gantner, sans oublier le très grand sculpteur Georges Oudot, assurent le renom de l'art franc-comtois non seulement en France, mais aussi dans de nombreux pays étrangers.

Le Haut pays comtois vu par un peintre contemporain : Pierre Bichet.

Les sapinières enneigées dans le Haut pays comtois, au sommet du Mont-d'Or.

FEERIE ET PLAISIRS
DE L'HIVER
EN FRANCHE-COMTE

Dans les décors grandioses du Haut pays comtois, on devine aisément, même au plein de l'été, qu'on traverse le royaume du vent et de la neige. Les sombres sapinières, les landes sauvages jalonnées de barrières contre les congères, les escarpements dénudés, les fermes aux toits bas arc-boutés au revers des combes, tout semble ordonné en fonction des rudesses de l'hiver.

Malgré l'âpreté d'un climat où, en certains endroits, la neige demeure présente durant près de six mois chaque année, les « montagnons » sont demeurés opiniâtrement attachés à leur rude terroir. Pendant des siècles, ils n'y survécurent qu'à force de courage et d'ingéniosité. Eleveurs de maigres troupeaux durant l'été, bûcherons à l'automne, ils se firent artisans au cours des longs hivers. Parce qu'ils

étaient habiles, ils devinrent paysans-horlogers, lunetiers, pipiers, diamantaires. Ils purent continuer à vivre dans leurs vallées perdues et firent du Haut pays l'une des parties les plus prospères de Franche-Comté.

Longtemps, les gens « d'en haut » éprouvèrent beaucoup de difficultés de déplacement pendant l'hiver. Ils n'utilisaient que des traîneaux tirés par des chevaux sur des che-

40

Même durant l'hiver, les villages francs-comtois restent accueillants et chaleureux.

Course de traîneau sur l'immensité du haut-plateau.

mins hasardeux ou plus fréquemment des « cercles », sortes de raquettes en bois et en cuir qui leur permettaient de ne pas s'enfoncer jusqu'aux hanches dans l'épaisse toison blanche.

Ce fut très paradoxalement un Anglais qui révolutionna ces modes de locomotion ancestraux. Souffrant de paludisme, cet ancien major de l'armée des Indes était venu en convalescence en Europe où, selon les prescriptions de son médecin, il devait séjourner dans un pays au climat sec et froid. Après quelques semaines passées en Scandinavie, il s'installa dans le Jura et y importa un très curieux divertissement en vogue dans l'extrême Nord. On le vit bientôt se déplacer sur la neige d'une manière surprenante : avec deux grandes planches sous les pieds et un long bâton à la main qu'il utilisait comme un marin se sert d'une godille.

On vint de toute la région pour voir l'Anglais glisser sur la neige. Lorsqu'il entreprit un jour de gravir, puis de descendre sur ses « skis » (nom qu'il donnait à son étrange équipement) les flancs abrupts de La Dôle, un sommet culminant à 1677 mètres, l'exploit eut un grand retentissement. Félix Péclet, le maire du petit village des Rousses, s'intéressa immédiatement à ce qu'on appelait à l'époque « la glisse sur planches ». Il comprit que ce procédé de déplacement se révélerait fort utile à ses administrés souvent coupés du reste du monde pendant plusieurs jours par des congères.

De fait, dès l'hiver suivant, des menuisiers locaux se mirent à confectionner, à l'aide de douves de tonneaux, des « lattes » munies d'attaches rudimentaires en cuir. Les premiers à utiliser ces « glissières » furent des enfants. Puis les adultes se passionnèrent pour ce nouveau jeu et s'ingénièrent à perfectionner le matériel. Certains se rendirent compte qu'on pouvait aller encore plus vite en enduisant les lames de bois de cire d'abeille ou de bougie.

Un facteur, dont la tournée s'étendait sur plusieurs kilomètres en bordure de la frontière franco-suisse, eut l'idée de chausser ces skis pour

2500 kilomètres de pistes balisées à travers les combes et les forêts du Haut pays.

De nombreuses pentes aménagées à Métabief et aux Rousses pour la pratique du ski alpin.

effectuer ses distributions. Il gagna ainsi deux heures sur son itinéraire habituel et rentra moins fatigué à la maison. Denis Vandelle devint ainsi le premier facteur-skieur de France. L'administration des PTT ne tarda pas à s'intéresser à cette méthode, de même que la gendarmerie et la douane.

Heureux de constater ces résultats positifs, Félix Péclet entrevit aussi quel extraordinaire objet de loisir le ski allait devenir. Il s'employa alors sans relâche à en propager la pratique, surtout parmi les jeunes. Le 27 janvier 1907, il organisa aux Rousses la première course de fond à skis qui connut un grand succès d'affluence et fut remportée par... le facteur Denis Vandelle!

Entre les deux guerres, ce sport allait de développer de plus en plus dans le Haut pays comtois, notamment sur les pentes de La Dôle et du Mont-d'Or. Mais c'est surtout à partir de 1950 que le massif jurassien s'équipa d'installations modernes et notamment de remonte-pentes nécessaires à l'exercice du ski alpin. Seuls, quelques autochtones originaires de Lamoura, des Rousses ou de Mouthe, continuèrent de skier « à la jurassienne » sur les étroites lattes aux pointes aiguës et recourbées. Pendant près de vingt ans, ces randonneurs locaux, véritables lévriers des neiges aux silhouettes filiformes, se détachant sur le satin blanc des plateaux, étonnèrent, sans les convaincre, les touristes de passage qui ne soupçonnaient pas l'attrait de ce sport merveilleux.

Puis vinrent les jeux Olympiques d'hiver de 1968 et les images féeriques diffusées par la télévision. La vue des jeunes champions des disciplines nordiques, glissant comme dans un rêve sur des pistes sans traces au milieu de paysages immaculés, fut une révélation pour de nombreux Français. Beaucoup comprirent à cette époque quelles joies pourraient leur procurer, au contact de la nature, dans le grand silence blanc des solitudes du Haut pays comtois, la pratique du ski de randonnée.

Aujourd'hui, les stations de sports d'hiver franc-comtoises ont acquis une grande renommée. Deux d'entre elles, Métabief-Mont-d'Or et Les Rousses, sont équipées de remontées mécaniques pour le ski alpin, disposent de circuits de fond, de patinoires naturelles, de pentes aménagées pour la luge et le traîneau.

Dans les Vosges saônoises et le massif du Jura, il existe actuellement plus de 2500 kilomètres de pistes et d'itinéraires balisés. L'un d'eux, la **Grande Traversée du Jura** relie, sur 300 kilomètres, le village de La Pesse à la ville de Maîche. Tout au long de ces circuits, de nombreuses petites stations : Lamoura, Bois d'Amont, Chapelle-des-Bois, Chaux-Neuve, Mouthe... offrent aux randonneurs des possibilités de halte et d'hébergement.

Les sportifs, adeptes de compétitions de haut niveau, peuvent quant à eux participer à de grandes épreuves internationales, en particulier à celle du **saut nordique,** sur le tremplin de La Doye ; à la **Transjurassienne,** la magnifique rencontre des champions européens, créée par mon regretté ami, le reporter Jacques Mandrillon ; à la **Traversée du Massacre ;** aux **24 Heures des motos-neige** de Montbenoît...

Le développement touristique du Haut pays a aussi donné naissance, il y a une dizaine d'années, à une expérience zoologique peu commune : la réadaptation des rennes au terroir jurassien. Ces grands cervidés des contrées arctiques avaient vécu autrefois dans le Jura au temps du paléolithique supérieur. Un jeune ethnographe, M. Pierre Marc, de retour d'une expédition dans le Grand Nord, eut un jour l'heureuse initiative de réimporter ces magnifiques animaux et de créer une réserve.

C'est la raison pour laquelle un détour s'impose aujourd'hui à tous les touristes pour visiter, près de Prémanon, l'étonnante **Vallée des Rennes**. C'est en effet un spectacle extraordinaire que de voir surgir soudain, à la lisière d'une sapinière ou d'une combe enneigée, une ou plusieurs caravanes de traîneaux tirés par ces cervidés qui ont transformé ce petit canton en paysage de Laponie.

Autrefois cause de leur isolement et de leur misère, la neige est devenue, pour les habitants du massif jurassien, une source appréciable de revenus. L'exploitation intensive de « l'or blanc » compense avantageusement la

perte de certaines activités artisanales dues à la conjoncture économique. De nos jours, les « montagnons » sont devenus aubergistes, moni-

teurs de ski, ouvreurs de pistes, meneurs de rennes, afin de répondre au formidable développement des sports d'hiver dans cette région.

La vallée des Rennes, un petit coin de Laponie dans le Jura.

POUR DECOUVRIR ET AIMER LE PAYS COMTOIS

La connaissance d'une région et de ses habitants étant antinomique de la rapidité, pour découvrir la Franche-Comté, il conviendrait de prendre son temps, de faire route à cheval, comme Xavier Marmier, qui présenta, au siècle dernier « cette vieille terre des Celtes couverte jadis d'impénétrables forêts, aujourd'hui l'une des plus belles provinces de France », dans ses *Souvenirs de voyage*.

Partout, des plaines saônoises jusqu'aux cîmes bleuâtres du Haut Pays, cette région est un enchantement pour les yeux des voyageurs qui peuvent se rassasier de couleurs, de visions inoubliables et d'espaces. Partout, à travers les villes, les villages traversés, on retrouve les signes de l'intelligence, du patient et opiniâtre travail des hommes qui contribuèrent, au cours des siècles, à l'épanouissement de la civilisation comtoise.

Nous sommes heureux d'ouvrir dans cet ouvrage, par le texte et par l'image, quelques-unes des portes donnant accès à des lieux où se trouve enclose l'âme secrète de ce pays attachant.

BELFORT, VILLE INDOMPTEE

A l'extrême nord-est de la Franche-Comté, la **Trouée de Belfort** est un étroit goulet situé entre les contreforts méridionaux du massif vosgien et les monts du Jura. Ce fut, depuis l'Antiquité, le lieu de passage obligatoire de tous les envahisseurs qui déferlèrent d'Europe centrale en direction de la vallée du Rhône.

En 1226, Thierry II de Montbéliard, alors en guerre contre son frère le comte de Ferrette, fit construire sur les ruines d'un *oppidum* gallo-romain un important château avec donjon au lieu-dit « La Roche », afin de contrôler ce défilé stratégique. Il donna à cette forteresse le nom de « Beau-Fort », qui se transforma plus tard en « Belfort », et attira au pied du château les habitants des campagnes voi-

sines. Ceux-ci construisirent une agglomération qui n'a pas cessé depuis de se développer, bien qu'elle connût au cours des siècles suivants de nombreuses vicissitudes lors des guerres qui opposèrent ses suzerains, les Habsbourg, aux rois de France.

Conquise par le comte de la Suze, en 1638, la cité de Belfort fut offerte par Louis XIV au cardinal de Mazarin en récompense de ses services.

Belfort, une ville prospère où l'on fabrique le T.G.V.

Grâce à ses fortifications, Belfort soutint victorieusement de nombreux sièges.

trois sièges en 1814, 1815 e 1870.

Le dernier de ces sièges fu héroïque. Sous le commande ment du colonel Denfert-Rochereau, la garnison de 16 000 hommes résista pendant 21 jours à 40 000 Prussiens. Ce fait d'armes fu immortalisé quelques années plus tard, entre 1875 et 1880, par le sculpteur Frédéric-Auguste Bartholdi. Celui-ci exécuta, en contrebas de la citadelle inviolée, un colossal *Lion* en grès rouge dont la plate-forme domine la ville et d'où l'on découvre un vaste panorama sur les Vosges, l'Alsace et le Jura.

Belfort est aujourd'hui une cité en plein essor écono-mique. La CGE qui a pris le relais de la société Alsthom y fabrique notamment les loco-motives du TGV, ainsi que les turbines et les alternateurs nécessaires au programme nucléaire de l'EDF.

La nièce du ministre et ses descendants devaient rester seigneurs de Belfort jusqu'à la Révolution qui annula leurs titres.

Dans le souci de protéger ses frontières, le Roi-Soleil confia à Vauban le soin de compléter les fortifications de la ville. Le génial ingénieur militaire réalisa ici l'un de ses chefs-d'œuvre. Il en fit une place imprenable qui de-vait soutenir victorieusement

Symbole du courage et de l'esprit d'indépendance comtois : le Lion de Belfort sculpté par Bartholdi.

De son côté, la société Honeywell-Bull œuvre sur des matériels de haute technicité dans le domaine de l'informatique.

L'expansion industrielle de la ville a amené ses élus a construire de nouveaux quartiers pour loger ses 40 000 habitants. Intelligemment rénové, le vieux centre historique est très intéressant à visiter. On peut y admirer l'**hôtel de ville** dont la belle **salle Kléber** accueille les réunions du conseil municipal. Autre monument de qualité, la **cathédrale Saint-Christophe** avec son autel du XVIIe siècle en marbre d'Italie polychrome et le très beau buffet en bois doré de ses orgues.

Mais c'est surtout la découverte de la **citadelle** qui offre le plus d'intérêt. On y accède par la **porte de Brisach** dont le fronton s'orne de l'emblème du Roi-Soleil et de son orgueilleuse devise : « Nec pluribus impar » (non inégal à plusieurs), c'est-à-dire supérieur à tous!

A l'intérieur du vieux château féodal, remanié au XVIIe siècle, est installé le très beau **musée d'Art et d'Histoire** qui renferme, outre des objets des périodes néolithique, gallo-romaine et mérovingienne en parfait état, certaines provenant des fouilles du cimetière de Bourogne, une merveilleuse **maquette du plan en relief de Vauban.** Dans une autre section, on peut admirer de nombreuses peintures du XVIIIe au XXe siècle, signées de Courbet, Utrillo, Signac, Rodin, Maillol...

Quant aux fortifications, leur visite pédestre est recommandée. En particulier celle de l'impressionnant « **grand souterrain »,** long de 300 m, dont les voûtes ogivales de 10 m de hauteur abritèrent, durant les sièges, les hommes et les chevaux de la garnison.

Le poète Léon Deubel, qui fut l'ami de Louis Pergaud, naquit à Belfort en 1879. Sur la façade de sa maison natale, Faubourg de France, une plaque rappelle son souvenir, tandis qu'un de ses quatrains célèbres est gravé sur le portique du cimetière de Bellevue :

« Rien ne s'efface, tout survit,
« Hier à demain vient se coudre
« Le chemin garde dans sa poudre
« Les pas de ceux qui l'ont suivi. »

Belfort est aussi un centre d'excursion en direction du **ballon d'Alsace** et du sud du **massif vosgien.** A une vingtaine de kilomètres vers l'est, en bordure de la frontière franco-suisse, on pourra visiter également la charmante petite ville de Delle et le village de Saint-Dizier-l'Evêque, dont l'église gothique conserve quelques traces d'un sanctuaire roman bâti au XIe siècle. A l'intérieur de celui-ci se trouve un curieux cénotaphe qui contenait le tombeau de saint Dizier. Pendant des siècles on fit passer les aliénés mentaux de la région sous le tombeau du saint pour demander leur guérison. Cet étonnant édifice est toujours appelé la **Pierre des Fous.**

Un vieux quartier de Belfort agréablement rénové.

LE PAYS DE MONTBELIARD

Enclave protestante dans une province en majorité catholique, le pays de Montbéliard fut jusqu'en 1793 une principauté du Saint Empire romain germanique. Il a conservé de ce fait, dans ses coutumes et traditions, un caractère tout à fait particulier. Ici, l'industrie est florissante. Les seigneurs de la dynastie Peugeot, qui ont succédé aux princes de Wurtemberg, mènent dans cette région, depuis bientôt cent ans, une guerre économique incessante. Leurs succès dans le domaine de la haute technologie assurent la prospérité de la ville de Montbéliard et de ses cités satellites : Audincourt, Sochaux, Exincourt...

Au sommet d'un promontoire exigu, l'imposant **château d'Henriette de Wurtemberg,** une redoutable guerrière qui, au XVe siècle, maniait plus aisément l'épée que les aiguilles à tapisserie, domine le cœur de la ville. Ses deux grosses tours rondes coiffées de lanternons et son pignon à courbes et contre-courbes sont fortement influencés par le style de l'art Renaissance en Allemagne du sud. Ce château faillit devenir, en 1764, propriété du philosophe Voltaire. Celui-ci avait fait saisir, par voie de justice, tous les biens de Charles Eugène, duc de Wurtemberg dont il était devenu le créancier principal, suite à un prêt usuraire de 300 000 livres consenti à ce seigneur trop prodigue. Mais le conseil de Stuttgart ayant finalement accepté de régler les dettes de son souverain, Voltaire ne devint pas châtelain de Montbéliard.

L'une des ailes de la forteresse, la **tour Frédéric,** du XVIe siècle et le bâtiment de trois étages attenant, construit en 1751, abritent actuellement le très riche **musée du Château.** Celui-ci comprend quatre parties : l'archéologie, les sciences naturelles, l'art et l'industrie. Cette dernière section est particulièrement intéressante. L'une des salles est consacrée aux recherches de l'ingénieur montbéliardais Etienne Oehmichen qui fut, en 1924, l'un des pionniers de **l'hélicoptère** en effectuant le premier kilomètre en circuit fermé à bord d'un appareil de sa construction, à Arbouans-Montbéliard.

On peut également suivre, dans cette même section, toute l'extraordinaire histoire de

Le château des Wurtemberg, à Montbéliard, qui faillit devenir propriété de Voltaire.

l'industrie dans le pays de Montbéliard. Les premières réalisations des constructeurs qui firent la renommée internationale de cette région : machines à écrire Japy, machines à coudre, anciens cycles Peugeot, voitures prototypes Rossel, Jean Perrin, pièces d'horlogerie ainsi que les merveilleuses boîtes à musique fabriquées jusqu'en 1914 par l'usine l'Epée de Sainte-Suzanne.

Les principaux monuments de la cité se trouvent concentrés autour de la **place Saint-Martin.** Construit en grès rose des Vosges, l'**hôtel de ville** édifié en 1776 est un bâtiment bien équilibré surmonté d'un fort joli clocheton qui abrite la « Bridaine », une cloche datant de 1470. En face se dresse la statue que David d'Angers sculpta à la mémoire du plus célèbre des Montbéliardais, le naturaliste Georges Cuvier qui fut élu membre de l'Académie française en 1818.

Le **temple Saint-Martin,** œuvre de l'architecte wurtembergeois Schickhardt, fut en 1601, le premier sanctuaire consacré au culte réformé dans cette région. C'est une construction remarquable par la hardiesse de son plafond qui n'est soutenu par aucun pilier mais seulement par un système d'arbalétriers et de tirants incorporé à la charpente.

Autour de la place, plusieurs hôtels patriciens sont également dignes d'intérêt : la **Maison des Princes,** de style Renaissance, l'**hôtel Beurnier**

qui abrite un **musée du Folklore.**

Place Denfert-Rochereau, à proximité des **halles,** très grand bâtiment coiffé d'une superbe toiture, se trouve la fameuse dalle connue sous le nom de « **pierre à poissons »,** parce qu'on y vendait, au XVe siècle, les brochets pêchés dans le Doubs. Le prédicateur Guillaume Farel, venu de Bâle où il était exilé, prêcha pour la première fois la Réforme sur cette pierre, en 1524, et contribua à convertir les Montbéliardais.

Une promenade à travers le pays de Montbéliard permet de découvrir aussi un certain nombre de lieux intéressants. A Sochaux s'impose la visite commentée des **usines Peugeot.** Dans un long cheminement à travers les vastes ateliers on pourra assister au travail impressionnant des presses à emboutir, à celui des robots soudeurs, on suivra les chaînes de montage des différents modèles de la marque qui, à travers le monde, vont porter au loin le renom du génie industriel franc-comtois.

A Audincourt, c'est l'un des monuments les plus représentatifs de l'art sacré moderne qu'on découvrira en l'**église du Sacré Cœur** où quatre artistes contemporains, l'architecte Maurice Novarina, les peintres Jean Bazaine, Fernand Léger et Jean Le Moal ont conjugué leurs talents pour la réalisation de ce magnifique sanctuaire.

Le temple Saint-Martin, premier sanctuaire consacré au culte réformé dans la région de Montbéliard.

Notre-Dame-du-Haut, à Ronchamp, œuvre du grand architecte jurassien suisse Le Corbusier.

LURE ET LES VOSGES SAONOISES

Située à un important carrefour routier et ferroviaire sur l'itinéraire Paris-Bâle, la riante cité de Lure a toujours eu une vocation commerciale et touristique. Le moine saint Desle y fonda, au début du VIIe siècle, une abbaye bénédictine au bord d'un petit lac né d'une source, la **Font de Lure.** Il reste peu de vestiges de ce monastère médiéval dont les abbés portèrent le titre de princes de l'Empire.

Sur les ruines de l'ancien palais abbatial fut édifié, au XVIIIe siècle, un vaste bâtiment qui abrite aujourd'hui la **sous-préfecture.** Son architecte alsacien allait connaître,

52

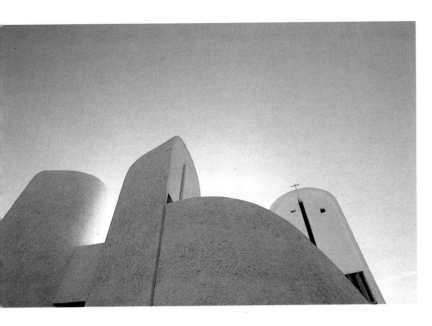

Le Corbusier, génial architecte-poète.

blanche sous son toit gris gonflé telle une voile dans le vent, la chapelle frappe par la pureté de ses lignes. « J'ai voulu créer ici un lieu de silence, de prière, de paix, de joie intérieure », déclarait Le Corbusier lors de sa construction en 1955. Ici comme dans ses autres réalisations, le génial poète du béton n'a pas oublié d'intégrer les trois éléments essentiels concourant à l'équilibre et au bonheur des hommes : la terre, le ciel et le soleil.

Tout près de Ronchamp, à proximité d'un vaste plan d'eau entouré de forêts, le bourg de Champagney s'enorgueillit d'avoir été, en 1789, lors de la rédaction des cahiers de doléances, le seul village français à demander la suppression de l'esclavage.

A l'initiative d'un écrivain local, M. René Simonin, fut fondée, en 1970, la **Maison de la Négritude,** qui devait être inaugurée par le grand humaniste Léopold Sédar Senghor. Ce musée remarquable permet de suivre l'évolution des problèmes du monde noir et des droits de l'homme à travers le monde.

De Champagney, par une route agréable serpentant au gré des méandres capricieux du Rahin, à travers un massif forestier de 2500 hectares, avec comme horizon la fameuse « ligne bleue des Vosges », il sera aisé de rejoindre Servance. Dans les environs de cette charmante localité on ira admirer, au milieu d'un site grandiose, le **Saut de l'Ognon** une cascade de 15 mètres de

quelques années après avoir dessiné les plans de cette construction, une étonnante destinée. Il s'agissait en effet de Jean-Baptiste Kléber, futur général de la Révolution, qui accompagna Bonaparte lors de la campagne d'Egypte, qu'il remplaça à la tête du corps expéditionnaire français avant d'être assassiné.

En 1979, Lure a rendu hommage à l'un de ses fils les plus spirituels en lui élevant une statue. Ce « joyeux luron » fut l'écrivain Georges Colomb, auteur, sous le pseudonyme de Christophe, de plusieurs albums illustrés, *la Famille Fenouillard, le Sapeur Camember,* considérés comme les prémices de la bande dessinée. Humoriste pince-sans-rire, Georges Colomb soutenait gravement

une thèse selon laquelle « la Saône et le Rhône étant des affluents du Doubs, celui-ci est... le plus long fleuve français! ».

A quelques kilomètres de Lure se trouve la petite ville de Ronchamp où l'on exploita pendant plus de deux siècles, jusqu'en 1958, un important gisement houiller. Si la **Maison de la Mine,** où sont regroupés des outils et des documents concernant cette activité mérite l'attention, la **chapelle Notre-Dame-du-Haut** est, de loin, le monument le plus visité de la région.

Edifiée sur la colline de Bourlemont, vouée depuis le Moyen Age au culte de la Vierge, ce sanctuaire est l'œuvre du grand architecte suisse Le Corbusier. Toute

Une région très pittoresque de la Haute-Saône, celle des mille étangs.

haut aux couleurs changeantes.

Ensuite, en remontant en direction du nord, on atteindra Château-Lambert, à l'extrême limite de la Franche-Comté, près du **col des Croix** où se trouve l'une des lignes de partage des eaux entre la Méditerranée et la mer du Nord. A Château-Lambert a été fondé en 1977 par Albert Demard, l'homme extraordinaire qui eut l'idée de sauver de l'oubli le patrimoine culturel rural de la Haute-Saône, un **musée de la Montagne et de la Forêt**. Outre une ferme traditionnelle des Vosges saônoises, avec son mobilier et son matériel agricole, un chantier de bûcherons charbonniers a été reconstitué en forêt où, sur un terrain accidenté, est présenté un circuit de « **schlitteur** », ces rudes travailleurs des bois qui descendaient sur des luges d'énormes chargements de bûches du sommet de la montagne.

retrouvé près de celles-ci, en 1865, d'étranges figurines en chêne représentant des têtes humaines coiffées de capuchons gaulois, sortes d'ex-voto que les malades de l'époque de la Tène offraient sans doute aux divinités païennes.

En 590 de notre ère, un moine irlandais nommé Colomban décida de fonder, à proximité des ruines des édifices gallo-romains, une abbaye qui devint rapidement l'une des plus riches et des plus puissantes d'Occident. L'un des fils de Charlemagne en fut l'abbé au IXe siècle, tandis que le duc de Bourgogne, Philippe le Bon, qui avait la garde de Luxeuil, affecta les revenus de ce domaine, en 1429, à la fondation de l'ordre fameux de la **Toison d'or.**

Situé dans un écrin verdoyant, la ville est un véritable joyau architectural, le « reliquaire de la Haute-Saône », comme l'écrivit Anatole France. L'art des XIVe, XVe et XVIe siècles y éclate à chaque pas en multiples facettes tout au long de sa rue principale.

On sera émerveillé en visitant l'**abbatiale Saint-Pierre,** vaste édifice ogival doté d'une majestueuse **tribune d'orgues** et d'une **chaire** finement sculptée où prêcha Lacordaire, de même que le **cloître** voisin également voûté d'ogives à arêtes saillantes soutenues par des faisceaux de colonnettes.

De chaque côté de la rue de Grammont sont répartis un grand nombre de monuments remarquables : la **Maison**

LUXEUIL-LES-BAINS, LE RELIQUAIRE DE LA HAUTE-SAONE

Au pied méridional du massif vosgien, le site de Luxeuil était déjà connu aux époques celtique et romaine pour les effets bénéfiques de ses sources d'eaux chaudes. On a

François Ier de style Renaissance, qui ne perpétue pas le souvenir d'un roi de France, mais d'un abbé luxovien, l'**hôtel Thiardot**, la **Maison du Cardinal** où séjournèrent des hôtes illustres parmi lesquels Louis XV, Mme de Sévigné et Lamartine.

La **tour des Echevins** est aussi un monument prestigieux avec ses élégantes façades gothiques, sa tourelle en encorbellement, ses échauguettes et son donjon protégé par des créneaux d'où l'on découvre un vaste panorama. Cet édifice abrite le **plus vieux** **musée de France,** puisqu'il fut créé par le conseil de la Ville en 1673. On peut y voir les **ex-voto en bois** découverts près de la source Martin ainsi que la plus belle **série lapidaire** gallo-romaine de Franche-Comté. Ces stèles funéraires représentent des personnages revêtus de costumes gaulois ou romains, d'une extraordinaire beauté plastique. Au troisième étage, le **musée Adler** rassemble des peintures de cet artiste local qui fut membre fondateur du Salon d'automne à Paris, et des œuvres d'autres peintres comtois dont Gustave Courbet et Auguste Pointelin.

Spécialisés dans le traitement des affections gynécologiques et phlébologiques, les **thermes** sont installés dans un magnifique bâtiment en grès rose du XVIIIe siècle, et attirent chaque année plusieurs milliers de curistes.

La petite ville voisine de Fougerolles, réputée pour la qualité de ses eaux-de-vie de fruits mérite bien son surnom de « capitale du kirsch ». Son **écomusée** et son **parc animalier** attireront particulièrement les touristes amis de l'écologie, du calme et de la liberté.

Le magnifique oriel de la Maison du Cardinal, de Luxeuil-les-Bains.

Ci-contre en haut : *Les thermes de Luxeuil-les-Bains.*

Ci-contre en bas : *Fougerolles, la capitale du bon kirsch comtois.*

VESOUL, QUE CELEBRA JACQUES BREL...

Chef-lieu de la Haute-Saône, Vesoul étale fièrement les constructions récentes de ses quartiers modernes, les bâtiments de ses usines performantes et les monuments de son centre historique au pied de **la Motte,** la colline au sommet adouci par l'usure du temps qui domine le bassin du Durgeon, affluent de la Saône.

Chateaubriand s'arrêta un jour dans cette ville en se rendant en Suisse. Bien avant que Jacques Brel n'en eût rendu le nom populaire dans l'une de ses chansons, l'auteur des *Mémoires d'outre-tombe* avait déjà apprécié le charme de Vesoul. Le passé, qui ne fut guère clément avec cette cité, y a pourtant laissé un certain nombre de monuments de qualité dont le poète vésulien Charles Grandmougin a dit qu'ils étaient dignes « d'être par lui chantés avec un noble amour ». Parmi eux, nous citerons l'**hôtel Thomassin,** bel édifice de style flamboyant, la **tour Simon Renard** et son toit curieux orné de gargouilles, l'**église Saint-Georges** qui contient un très beau **saint-sépulcre** de pierre d'époque Renaissance.

Quant au **musée Garret,** installé dans l'ancien **couvent**

Vesoul, une cour intérieure dans les vieux quartiers.

Anciennes maisons sur la place de l'église à Vesoul.

des Ursulines datant du XVIIe siècle, il regroupe de nombreuses œuvres du peintre et sculpteur Jean-Léon Gérôme, né à Vesoul en 1824. Spécialiste du style néo-grec, des grands sujets historiques et orientalistes, cet artiste longtemps qualifié de « pompier » par la critique moderne, connaît heureusement depuis quelques années une juste réhabilitation.

Les environs immédiats de Vesoul ne manquent pas non plus d'attrait, en particulier la colline voisine du **Sabot de Frotey,** curiosité géologique où, dit-on, le diable aurait laissé sa trace. Plus à l'est, le château de **Villersexel,** dont le fondateur, le seigneur de Grammont, aurait, vers l'an 800, accompagné les reliques des Rois mages de Constantinople à Aix-la-Chapelle, fut plusieurs fois détruit et reconstruit au cours des siècles. Habilement restauré en 1887, il est devenu de nos jours un fort beau musée où les tapisseries d'Aubusson et des Gobelins mettent en valeur un somptueux mobilier parmi lequel figure le piano Pleyel de Marcel Proust.

Près de Villersexel, le **prieuré de Marast** du XIIe siècle, en cours de restauration, et le superbe **château de Filain** suscitent l'admiration des visiteurs.

En remontant vers le nord-ouest, depuis Vesoul, par Faverney où se déroula, au XVIIe siècle un événement miraculeux qui fait encore de nos jours l'objet d'un pèlerinage, on gagnera Passavant-la

Rochère où se perpétue l'art du feu dans une **verrerie d'art** fondée il y a cinq siècles. Ensuite, on ne manquera pas de visiter Jonvelle et la **villa gallo-romaine** décorée de ravissantes mosaïques récemment mises au jour par des fouilles. Cette randonnée effectuée à travers une région pittoresque s'achèvera à Chauvigney-le-Chatel, un minuscule village qui possède l'une des plus merveilleuses réalisations de style flamboyant en Franche-Comté, la **chapelle Saint-Hubert** du **Château-Dessus** et son **retable à bas relief** en pierre retraçant l'épisode fameux qui suscita la conversion de saint Hubert.

DE GRAY-LA-JOLIE AU BON TERROIR DE CHAMPLITTE

« Tel un oiseau sur son perchoir
« Un oiseau que chacun admire,
« Gray, pimpant et coquet se mire
Dans la Saône, son pur miroir.»

Par ce quatrain évocateur, Alfred Marquiset évoquait, au siècle dernier, le charme de cette petite ville construite au flanc d'une colline couronnée par le clocher à lanternons de la **basilique Notre-Dame** et la **tour du Paravis.** La porte voûtée de cette tour forte hérissée de créneaux et de mâchicoulis, permet d'accéder

Gray reste un port fluvial important en bordure de la Saône.

au château du comte de Provence, frère du futur roi Louis XVIII. Cette splendide demeure fut revendue comme « bien national » en 1796 au baron Alexandre Martin lequel devait, plus tard, donner son nom au musée installé dans les appartements et les caveaux du château.

Le **musée Baron-Martin,** dont les clairs salons « Trianon », riches de lambris moulurés, de plafonds ouvrés, de stucs, de glaces, de marbres et de parquets marquetés, ne sont pas sans rappeler les fastes de Versailles, abrite les collections léguées à la ville par un certain nombre de généreux donateurs. La plus remarquable de ces collections est constituée par les quelque trente **dessins et pastels de Pierre-Paul Prud'hon.** Menacé par la réaction thermidorienne, l'artiste avait en effet trouvé refuge à Gray pendant la Révolution et offert plusieurs de ses œuvres à ses hôtes. Ce fonds d'une valeur inestimable fut donné au musée par Edmond Pigalle, petit-fils du baron Martin, en 1921.

Ce n'est pas à tort que l'on désigne cette petite cité sous le nom de « Gray-la-Jolie », car ses rues offrent bien des surprises agréables à ses visiteurs. Ici et là, en la parcourant, on découvre un porche de belle facture, une gracieuse tourelle, une façade élégante, un riche hôtel particulier comme la **Maison de Gauthiot d'Ancier** du XVIe siècle et bien sûr le majestueux **hôtel de ville,** premier édifice de l'époque Renaissance construit en Haute-Saône, dont les arcades, les colonnes corin-

Ci-contre : *Gy, d'où l'on embrasse les vastes horizons saônois et bourguignons, depuis les fenêtres du château.*

Avec ses créneaux et ses mâchicoulis, la porte de la tour carrée des anciens comtes de Bourgogne donne accès au riche musée Baron-Martin, à Gray.

Le château de Champlitte, du XVIIIᵉ siècle, qui abrite le fantastique musée des Arts et Traditions populaires créé par Albert Demard.

thiennes et la toiture aux tuiles vernissées se complètent harmonieusement.

Une randonnée aux environs de Gray permettra de découvrir, à l'ouest, l'agreste village de Gy, dont le **château des Archevêques** fut, dès le Moyen Age, propriété des prélats de Besançon. Ceux-ci y transportèrent souvent la cour d'officialité et y battirent même monnaie lors de leurs démêlés orageux avec les bourgeois bisontins. Aujourd'hui, le château, qui possède une belle tour d'escalier polygonale de style flamboyant, est redevenu propriété privée. Il a été fort bien restauré depuis quelques années et fait chaque été l'objet de visites guidées.

De Gray à Champlitte, il n'y a que vingt kilomètres. Cette escapade aux confins de trois provinces : Franche-Comté, Bourgogne et Champagne, vaut le déplacement. Dans ce pays mystique, aux carrefours jalonnés de croix et d'oratoires, un ethnologue autodidacte, Albert Demard, a recherché pendant près de quarante ans de multiples objets et souvenirs de la vie rurale du temps passé. Aujourd'hui rassemblés à l'intérieur du château dans l'étonnant **musée Albert-Demard,** ces humbles outils, ce mobilier campagnard, évoquent la façon de vivre et les coutumes parfois curieuses des habitants de la région de Champlitte, le pays du Haut-Gué.

Grâce à l'initiative d'Albert Demard, on a également reconstitué à Champlitte une partie du vignoble qui faisait autrefois la réputation de ce petit bourg. Cela permet chaque année aux participants de la traditionnelle **procession de la Saint-Vincent,** le 22 janvier, de déguster, après l'office, un très agréable vin de pays.

La procession de la Saint-Vincent à Champlitte.

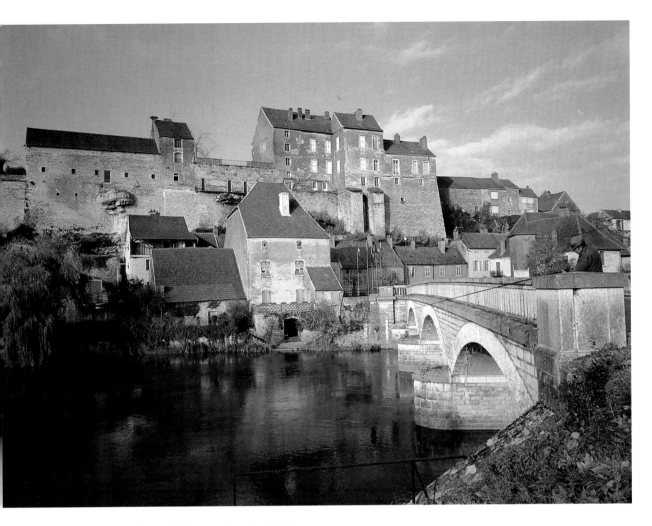

Pesmes, charmante cité touristique au bord de l'Ognon.

DEPUIS PESMES, EN REMONTANT LE COURS DE L'OGNON

Au XVIᵉ siècle, l'historien Loys Gollut incitait déjà les voyageurs à s'arrêter à Pesmes où, disait-il, « on compte ordinairement l'art de cette ville comme fort subtil... ».

C'est vrai qu'il fait encore bon vivre de nos jours dans cette cité plaisante qui jouit des attraits d'une calme rivière et de vastes horizons jusqu'aux limites des cimes du Jura nimbées de brumes vaporeuses.

Bien qu'elle eût connu, au cours des siècles, tous les aléas des grandes invasions, la ville a conservé une partie de ses vieux remparts. Ceux-ci servent chaque année, au mois d'août, de décor à un spectacle « son et lumière » au cours duquel les habitants font revivre la tragique mais passionnante histoire de leur bourg.

Au centre de Pesmes, l'**église Saint-Hilaire,** toute imprégnée de foi et de silence, baignée par la douce lumière des vitraux modernes du maître verrier Chigot, suscite une atmosphère beaucoup plus sereine. Elle renferme deux chefs-d'œuvre de l'art franc-comtois : le magnifique **trip-**

Supportés par de magnifiques colonnades ioniques, les Temples-lavoirs jumeaux d'Etuz, en Haute-Saône, sont de véritables chefs-d'œuvre d'architecture.

tyque sur bois réalisé au XVIe siècle par le peintre Jacques Prévost et, de la même époque, dans la **chapelle de la Résie** fondée par Jean de Grandson, chanoine de Lausanne, l'**autel-retable** et le **monument funéraire** en marbre polychrome des frères d'Andelot. L'un d'eux, Pierre d'Andelot, fut abbé de Bellevaux, le second, Jean d'Andelot, premier écuyer de l'empereur Charles Quint. Lors de la bataille de Pavie, en 1525, il se mesura en combat singulier contre le roi de France François Ier qui le blessa à la joue d'un coup d'épée, mais qu'il fit néanmoins prisonnier. On distingue fort bien cette balafre sur sa monumentale statue. Les **deux orants** des frères d'Andelot font face à une **Vierge à l'Enfant** encadrée de deux sybilles d'albâtre reproduisant les traits des deux épouses du valeureux soldat.

En parcourant les rues de cette cité fleurie, plusieurs fois récompensée pour ses efforts dans le domaine de l'environnement, on découvrira d'autres vestiges du riche passé pesmois : un beau prieuré, de nobles demeures à tourelles, des portes armoriées… On appréciera aussi la qualité de ses nombreux restaurants.

En remontant le cours sinueux de l'Ognon, on pourra visiter le délicieux **château troubadour de Malans** où se tiennent chaque année d'insolites expositions souvent consacrées à l'art exotique. Pour gagner Acey, une petite route en lacets passe, aux environs de Bresilley, devant une étonnante curiosité naturelle, un **arbre mangeur de vierges,** chêne séculaire d'au moins cinq cents ans qui aurait absorbé, au cours de sa croissance, des statuettes de la Vierge placées en ex-voto dans les cavités de son vieux tronc crevassé par le gel.

Haut lieu spirituel de la région où des moines-ingénieurs travaillent aujourd'hui à la fabrication de pièces destinées à l'industrie électronique, tandis que leurs frères s'adonnent à l'élevage biologique des bœufs charolais, l'**abbaye d'Acey** est un sanctuaire cistercien dont la fondation remonte à 1136.

Le visiteur sera particulièrement impressionné par le dépouillement de son **église abbatiale** où se mêlent les styles roman et de transition gothique.

A quelques kilomètres du monastère se trouve le village de Ougney. On y a consolidé une imposante tour médiévale qui fut, sous Louis XI, témoin de l'épisode tragi-comique des « **culs fouettés** », lorsque le commandant de l'armée française, peu magnanime avec les vaincus, fit châtier, culottes baissées, devant ses troupes rassemblées, les vaillants défenseurs du château qu'il venait de prendre.

Marnay est également une localité riche en souvenirs, qui mérite de retenir l'attention, de même que le petit village d'Etuz dont la place s'orne du **plus beau lavoir** de Franche-Comté.

Mais cette promenade au gré des méandres de l'Ognon ne saurait s'achever sans un arrêt au **château de Moncley,** somptueuse demeure néo-classique, merveille d'équilibre et d'élégance conçue par Bertrand, collaborateur et ami de Ledoux. Quant au **château de Buthier,** qui ne se visite malheureusement pas, on admirera, depuis la grille du parc, sa belle façade et son grand fronton armorié.

La belle façade du château de Buthier au fronton armorié.

Située dans l'une des boucles du Doubs, Besançon était déjà une cité prospère à l'ère gallo-romaine.

BESANÇON :
« ... VIEILLE VILLE ESPAGNOLE... »

Pour la sonorité d'une rime, Victor Hugo, qui y vit le jour en 1802, affubla hélas ! durablement sa ville natale de ce qualificatif erroné. En effet, si Besançon appartint bien, au XVIIe siècle, d'une manière plus ou moins directe, à la monarchie ibérique, elle n'en a pas gardé de traces architecturales, pour la bonne raison que les Espagnols y vinrent peu nombreux, à l'exception de quelques hommes de loi ou de militaires.

Par contre, l'ère gallo-romaine a laissé des vestiges beaucoup plus tangibles dans l'ancienne capitale de la Séquanie. Le solennel arc-de-triomphe de la **Porte noire,** édifié à la gloire de Marc Aurèle, le **square Castan** et ses colonnes corinthiennes, les voûtes ténébreuses de l'**aqueduc d'Arcier** continuent de rappeler à tous les amoureux de Clio que cette cité fut autrefois l'une des plus prospères de la Gaule.

Besançon, où se leva l'aurore de l'histoire comtoise est, avec Dole, la plus belle cité de la province. On s'en convaincra aisément en flânant à travers ses rues animées. En s'arrêtant devant ses riches demeures des XVIe et XVIIe siècles aux façades de pierre grise et bleue. En admirant ses grilles finement ouvragées, comme celles de l'**hôpital Saint-Jacques,** ses fenêtres protégées par des fers forgés ventrus de l'**hôtel d'Emskerque** où résida, un temps, Gaston d'Orléans. En glissant un regard dans ses cours intérieures qui laissent entrevoir de gracieuses tourelles, de splendides escaliers aux savants entrelacs.

Véritables oasis de verdure en plein cœur de la ville, de

nombreuses promenades, **Micaud, Chamars,** la **Gare d'Eau, Glacis de Battant,** ménagent des haltes agréables aux visiteurs. Ceux-ci pourront se restaurer dans les excellents établissements qui font honneur à la gastronomie régionale.

Capitale politique et économique de Franche-Comté, Besançon est aussi un centre culturel important. Outre son **université** réputée, la ville doit également son rayonnement à son **Festival international de musique** où, chaque automne, se font entendre les plus grands musiciens contemporains. Elle accueille enfin, depuis quelques années, le « **Salon du livre des régions frontalières** » où les écrivains francs-comtois rencontrent leurs confrères suisses, belges et ceux de la province canadienne de l'Outaway.

Deux des musées de Besançon sont parmi les plus riches de France. D'abord celui du **palais Granvelle** où on peut admirer une remarquable série de tapisseries flamandes du XVIIe siècle, parmi lesquelles *l'Abdication de Charles Quint,* ainsi qu'un tableau du Titien et divers documents évoquant les grandes heures de l'histoire comtoise. Mais c'est surtout le **musée des Beaux-Arts** installé dans l'ancienne halle au blé, que les Bisontins considèrent comme le plus beau fleuron de leur patrimoine artistique. Bellini, Bronzino, Jordaens, Zurbaran, Van der Meulen, Goya, Fragonard, Boucher,

Les grilles et la cour de l'hôpital Saint-Jacques, à Besançon.

sans compter les œuvres de peintres régionaux de qualité, Nonotte, Courbet, offrent aux visiteurs un choix très éclectique. Grâce à la donation de mon regretté ami George Besson et à Adèle, son épouse, le musée des Beaux-Arts de Besançon s'enorgueillit de posséder, depuis une vingtaine d'années, une série de dessins, gravures et tableaux de l'époque moderne, tels Renoir, Signac, Bonnard, Marquet, Valadon, Matisse, Picasso...

Le bâtiment du musée, rénové par Louis Miquel, un disciple de Le Corbusier, recèle bien d'autres sujets d'émerveillement, notamment des bronzes gallo-romains, des céramiques, des tapisseries et enfin le **musée de l'Horlogerie** qui permet de suivre l'évolution technique de la mesure du temps du XVIe siècle à nos jours. C'est un bel hommage rendu à la longue lignée d'artisans habiles qui, depuis les frères Dumont, firent à travers le monde la renommée de l'industrie horlogère franc-comtoise.

On pourra apprécier aussi un chef-d'œuvre né du génie inventif bisontin en contemplant l'**horloge astronomique** construite en 1857 par un très grand artiste, A.-L. Vérité. C'est un monument de 5,80 m de haut, de 2,50 m de large, dont le mécanisme comporte plus de 30 000 pièces et dont les 22 automates s'animent, soit pour sonner les quarts, les heures, soit pour marquer la résurrection du Christ à midi et sa mise au tombeau à 15 heures. On peut lire 122 indications sur les soixante-dix cadrans de cette horloge où un planétaire représente aussi avec précision le mouvement des planètes autour du Soleil.

Mais Besançon ne s'intéresse pas qu'au passé. Son **école des beaux-arts,** animée par deux grands artistes contemporains, le sculpteur Georges Oudot et le peintre Jean Ricardon, forme aujourd'hui les jeunes talents du XXIe siècle. Dans le domaine scientifique, des laboratoires publics et privés ainsi que l'Ecole nationale de la **micromécanique** et des **microtechniques** préparent la « révolution tranquille », mais d'une extrême complexité, qui marquera le prochain millénaire voué à la robotisation.

Dominant la ville de ses bastions massifs dessinés par Vauban, la **Citadelle** semble toujours veiller sur la sécurité de la vallée du Doubs. Témoin de bien des drames, en particulier du martyre des **seize fusillés de la Butte** dont j'ai conté la tragique histoire dans *les Maquis de Franche-Comté,* la vieille forteresse abrite aujourd'hui, outre l'excellente station de Radio-France-Besançon, trois autres musées qu'il ne faut pas manquer de visiter.

Le **Musée populaire comtois,** créé par l'abbé Garneret, conserve une riche collection d'objets appartenant au patrimoine rural régional. Le **musée de la Résistance et de la Déportation**, dont l'entrée est ornée par *le Poteau des fusillés,* œuvre émouvante de Georges Oudot, rappelle le

sacrifice de ceux qui tombèrent pour que nous puissions jouir aujourd'hui de la liberté. Enfin, le **muséum d'Histoire naturelle** présente la faune et la flore locale. Il est complété par un zoo (oiseaux et mami-

fères) où s'ébattent 350 animaux de 65 espèces différentes.

Mais on ne saurait achever la visite de la capitale de la province de Franche-Comté sans parler de l'accueil chaleu-

Autrefois capitale de la province des Séquanes sous le nom de Vésontio, Besançon est aujourd'hui la capitale de la région de Franche-Comté.

reux, à la hauteur de la beauté des lieux, que ses habitants réservent à ses hôtes. Déjà, au siècle dernier, dans *le Rouge et le Noir*, Stendhal définissait ainsi leur caractère : « Besançon n'est pas seulement l'une des plus jolies villes de France, elle abonde aussi en gens de cœur et d'esprit. » Cette appréciation flatteuse est toujours valable à notre époque. Les touristes et les participants des nombreux salons, manifestations culturelles, colloques scientifiques qui se déroulent à Besançon tout au long de l'année, peuvent en témoigner.

BAUME-LES-DAMES, BELVOIR ET LE PAYS DE LOUIS PERGAUD

Fort malmenée durant les combats de la Libération en 1944, Baume-les-Dames a courageusement relevé ses ruines et développé son potentiel économique et touristique. Cette avenante cité doit ses origines à une communauté de nonnes bénédictines, fondatrices, au VIIᵉ siècle, d'une opulente abbaye à l'emplacement où, selon la légende, sainte Odile aveugle, chassée d'Alsace par son père, aurait retrouvé miraculeusement la vue.

L'ancienne **église abbatiale,** coiffée d'un dôme, date des XVIᵉ et XVIIᵉ siècles. L'**église Saint-Martin,** un peu plus récente, possède une **Pietà,** de 1549, des statues en bois poly-

Le dôme de l'église abbatiale, des XVIᵉ et XVIIᵉ siècles.

chrome et de très beaux **retables Louis XIII** à colonnes torses. Le passage à Baume-les-Dames du bon saint Martin est illustré ici par un agréable souvenir. On prétend qu'ayant été fort bien reçu par les habitants de la ville, il fit changer les crottes de sa mule en friandises. Telle serait l'origine des fameux « **craquelins** » vendus dans les pâtisseries locales.

Etageant ses toits aux tuiles vieillies, la cité est des plus pittoresques. Au hasard de ses

se couvrit d'une barbe drue dont la vue tempéra les ardeurs du soudard mais le rendit si furieux que, de dépit, il tua la pauvre fille.

En remontant la vallée du Doubs par la route sinuant au pied de hautes falaises, on gagnera Clerval, au nom si bien mérité. Puis ce sera l'ascension des flancs boisés du Lomont avant de redescendre, par le col de Ferrière, vers le plateau dominé par le

Encaissé entre les falaises boisées, le Doubs au cours sinueux traverse ici le riant pays de Baumes-les-Dames.

Baume-les-Dames, une charmante et dynamique cité qui mérite un arrêt prolongé.

places et de ses rues paisibles, on découvrira une maison Renaissance, un portail de belle allure, une tourelle en encorbellement...Parmi les autres curiosités, la **statue de la Vierge barbue,** œuvre d'un artiste anonyme, raconte une autre histoire naïve, celle de la vertueuse sainte Acombe. Pourchassée par un reître brutal qui en voulait à sa vertu, la jeune bergère adressa à Dieu cette ultime prière : « Seigneur, faites-moi laide! » Aussitôt, le visage d'Acombe

fier **château de Belvoir.** Du haut de ses tours médiévales, se découvre tout un vaste horizon parsemé de forêts, de pâtures, de vieux villages dont les clochers semblent veiller sur les troupeaux épars des fermes aux larges toits.

Plus loin, vers le sud-ouest, s'étale l'immense **camp militaire du Valdahon.** A proximité de celui-ci se trouve le pays de l'auteur de *la Guerre des boutons*. Belmont, son village natal, a tenu à lui rendre un juste hommage en rassem-

blant dans la **maison de Louis Pergaud** de nombreux documents concernant sa vie, son œuvre et son rayonnement toujours vivace grâce au prix littéraire portant son nom que l'on décerne chaque année à Paris.

La plaine de Sancey-le-Grand : un paysage enchanteur pour les amoureux des vastes espaces.

A quelques kilomètres de là, se trouvent l'**abbaye Notre-Dame de la Grâce Dieu**, monastère cistercien rénové au XVIIIᵉ siècle et la **grotte de la Glacière** un gouffre appelé « emposieux » de 66 m de profondeur où la glace subsiste toute l'année. Quant à la **Source bleue,** elle donne naissance, au pied d'un petit cirque rocheux, à la fraîche rivière du Cusancin, un affluent du Doubs.

LE DOUBS, LE PLATEAU DE MAICHE ET LE DESSOUBRE

Pour aborder le Haut-Doubs, à partir de Pont-de-Roide, dont l'église imposante conserve un joli tableau du XVIIe siècle, *Jésus chez Marthe et Marie,* on gagnera Saint-Hippolyte, ancienne capitale d'Ajoie et de la Franche-Montagne. Le **château de la Roche,** dont il ne reste que des ruines et une grotte, dominait autrefois la ville de ses murailles imposantes derrière lesquelles plus de mille personnes pouvaient se réfugier. Il fut détruit pendant les guerres qui ensanglantèrent la Comté au XVIIe siècle. Ville martyre, Saint-Hippolyte dut sans doute ce sort funeste au fait d'avoir perdu, un siècle plus tôt, son précieux talisman. Pend'ans, la collégiale Notre-Dame avait en effet abrité le célèbre **saint suaire,** aujourd'hui vénéré dans la chapelle roya' de Turin. Une plaque placée à l'entrée de **Notre-Dame-de-Pitié** commémore aujourd'hui cet événement religieux.

Le plateau de Maîche est une lande immense entourée de forêts, quadrillée de clôtures à vaches où, l'hiver venu, la terre et le ciel se confondent dans les tourbillons de neige. Avec leur clochers bas coiffés d'un bulbe de métal dominant des îlots de toitures grises, tous les villages du canton se ressemblent un peu. Chacun d'entre eux a pourtant un caractère bien différent et ne cesse d'affirmer sa personnalité. La région de Maîche était déjà habitée à l'ère celtique ainsi qu'en témoigne un menhir naturel dit le « **château du diable** ». La cité, dont l'église conserve depuis 1688 le corps de saint Modeste ramené de Rome par le curé Richard, ne bénéficia pas de l'intercession de son protecteur pendant la Révolution. 19 hommes du plateau, qui avaient participé à la révolte de la « **Petite**

Ci-contre : *Saint-Hippolyte avec son clocher en impériale.*

Goumois où le Doubs, servant de frontière, est aussi un paradis pour les pêcheurs.

Vendée » y furent en effet guillotinés en place publique.

Damprichard, petite cité industrieuse où se fabriquent des accessoires d'horlogerie, d'automobile et des articles de bijouterie, se trouve à proximité de la **haute vallée du Doubs** qui coule entre des gorges verdoyantes entaillées dans le calcaire. C'est un pays sauvage, d'une infinie beauté où la

Les mets succulents et les vins font aussi partie des plaisirs qu'on éprouve en visitant la Franche-Comté.

rivière sert de frontière entre la France et la Suisse. Les falaises, qui dominent des à-pics vertigineux, sont aménagées de belvédères d'où l'on découvre des paysages fantastiques. Les plus impressionnants sont la **corniche de Goumois** et les fameuses **Echelles de la Mort** grâce auxquelles, au siècle dernier, les contrebandiers des deux rives transportaient à dos d'homme, au-dessus du gouffre, des sacs bourrés de tabac et même des veaux et des moutons.

Charquemont et Le Russey sont deux attrayants centres touristiques adossés à de belles forêts d'épicéas. Dans l'une d'elles, près du Russey, on peut admirer les **Trois Sapins.** Vieux de trois siècles, ceux-ci ont une hauteur de 50 m et une circonférence de 5 m à hauteur d'homme.

Dans cette région, comme d'ailleurs dans tout le Haut pays, on pourra déguster une cuisine délicieuse. Les mets y abondent pour le plaisir du palais car les Comtois aiment la bonne chère. L'un de leurs vieux proverbes ne dit-il pas : « Mieux vaut bonne panse « Que belle manche » ?

Partout où le touriste aura l'occasion de faire halte, des auberges accueillantes lui permettront de déguster les spé-cialités régionales : jambon fumé, brochets du Doubs, perches des lacs, truites de torrents, écrevisses, grenouilles, poulardes aux morilles, chevreuil au raisin, fromage de Comté, tartes aux myrtilles, le tout arrosé par les grands crus d'Arbois, de Château Châlon, de Pupillin, d'Arlay… Partout, le plaisir de la table sera l'agréable corollaire de celui du regard et de l'esprit.

Pour ceux qui voudront se racheter du péché de gourmandise, un détour par la **vallée du Dessoubre** s'imposera.

C'est un site grandiose et émouvant que l'on contemplera d'abord du haut du **belvédère de la Roche au Prêtre.** Un ermitage, ancien couvent des Minimes, le **monastère de Consolation,** est niché, 350 m en contrebas, dans les plis silencieux d'une combe boisée. En ces lieux imprégnés de romantisme, à l'ombre d'un parc aux frais ombrages, un séminaire rappelle aux voyageurs pressés que l'éternelle espérance ne peut s'enseigner que dans la solitude et la méditation.

Dans un grand nombre de villages, des gîtes ruraux accueillent les visiteurs.

EN SUIVANT LES MEANDRES DU DOUBS : MORTEAU, VILLERS-LE-LAC, MONTBENOIT

Détruite presque entièrement en 1865 par un gigantesque incendie, la ville de Morteau reconstruite ne conserve plus, pour rappeler sa splendeur passée, que le gracieux clocher-tour de l'**église de l'Assomption,** la belle façade de son **hôtel de ville** et celle de la **Maison Pertusier,** richement décorée dans le style Renaissance.

Dans une région où la terre ne produit presque rien, où le climat rend, l'hiver, les communications difficiles, les habitants pallient depuis deux siècles le manque de ressources naturelles par l'ingéniosité et l'habileté manuelle. Poètes de la mécanique pour qui l'idéal porte le nom de **précision,** ces gens passionnés de rouages et de ressorts ont su, grâce à l'horlogerie, porter au loin la renommée de leur cité.

Une autre activité a rendu ce canton très populaire en France et à l'étranger. Il s'agit de la fabrication du fameux « **jésus de Morteau »,** une saucisse succulente que l'on fume

Pendant les longs mois d'hiver, dans les cheminées géantes des fermes du Haut pays, on fume le jambon et une succulente saucisse appelée le « jésus de Morteau ».

u feu de sapin et de genièvre dans les hottes géantes des « **tuyés »,** étonnantes fermes-cheminées des XVIIe et XVIIIe siècles visitées aujourd'hui comme de véritables monuments historiques.

En suivant le cours assagi du Doubs, on atteint vite Villers-le-Lac, bourg coquet construit en amphithéâtre le long des rives de la rivière. Des bateaux de plaisance amarrés sur le petit port permettent d'effectuer une agréable promenade sur le **lac de Chaillexon** et les **bassins du Doubs.** Après avoir traversé un grandiose décor naturel de falaises vertigineuses crênelées d'une végétation dense, on débarque au pied du spectaculaire **Saut du Doubs,** qui mérite bien son surnom de « Niagara jurassien ». L'endroit est classé parmi les quinze plus beaux sites de France par le ministère de l'Environnement.

La proche région de Morteau compte d'ailleurs beaucoup d'autres paysages d'une grande beauté, en particulier le **défilé d'Entreroches.** En cet endroit, le Doubs accélère son rythme entre deux murailles vertigineuses que les eaux sauvages ont entaillées au cours des millénaires. Dans les bouillonnements et les ressacs d'une série de cascades, les amateurs de canoë-kayak viennent de très loin pour se livrer aux fortes émotions de leur sport favori. Cet étroit canyon recèle de nombreuses grottes. C'est un monde de mystère et de silence où, dans la féerie des ciselures géolo-

Le Doubs près de Villers-le-Lac, à la frontière franco-suisse.

giques, on retrouve la permanence des lois cosmiques.

Plusieurs de ces grottes servirent de refuge aux habitants de la région durant les grandes invasions. A l'intérieur de l'une d'entre elles, au XVIIe siècle, 300 personnes furent brûlées vives par les mercenaires suédois de l'armée française. Une autre a été transformée en église rupestre, **Notre-Dame-de-Remonot,** où l'eau d'une source passe pour guérir les affections des yeux.

Dans cette partie du Haut pays comtois, tous les sommets, tous les carrefours sont jalonnés de croix de pierre, de petits oratoires, de statues de la Vierge. On retrouve partout la marque de la foi catholique profonde de cette région frontalière, qui fut longtemps un

rempart spirituel contre les idées réformistes venues de la Suisse voisine.

Le haut lieu de ce dogmatisme se trouve au cœur d'un minuscule territoire : le **Saugeais.** Les habitants de ce canton ont toujours formé une communauté humaine distincte du reste de la Franche-Comté, à la fois par leur mysticisme, leurs coutumes et leur parler. Pour mieux se singulariser encore vis-à-vis des autres Comtois, ils se sont même érigés en « République » indépendante et élisent à la fois un conseil et un président. En avance sur la plupart des démocraties, les Saugeais ont placé, depuis déjà de longues années, une femme à la tête de leurs institutions. Pour peu qu'on lui en fasse préalablement la demande, Mme Pourchet, sympathique présidente de cet « Etat » reçoit les visiteurs de passage et leur fait visiter le plus beau monument de sa capitale, l'**abbaye de Montbenoît,** fondée au XIIe siècle. C'est l'un des plus purs joyaux de l'architecture conventuelle, avec son cloître baigné de lumière, son église au chœur gothique flamboyant, ses stalles de chêne sculptées, imagées de scènes d'un étonnant réalisme.

Une scène réaliste ornant la jouée d'une stalle de l'abbaye de Montbenoît.

PONTARLIER ET LE HAUT-DOUBS

Une ferme traditionnelle du Haut-Doubs, avec son vaste toit pentu et son revêtement de bois sur la façade.

Située à 837 mètres d'altitude, Pontarlier est la plus haute ville de France après Briançon. C'est aussi la capitale économique et touristique du Haut-Doubs, à la fois par son dynamisme industriel et son potentiel d'activités ludiques dans les domaines des sports d'été et d'hiver.

Un breuvage pernicieux rendit autrefois la cité célèbre dans le monde entier : l'absinthe, dont les frères Pernod avaient importé de Suisse le secret de fabrication. Si l'on n'y distille plus aujourd'hui — sinon clandestinement dans les fermes isolées — l'élixir redoutable qu'on appelait « la fée verte », qui inspira Baudelaire, Verlaine et Van Gogh, elle possède bien d'autres attraits pour le voyageur de passage. On peut y admirer l'élégant arc de triomphe de la **porte Saint-Pierre**, la belle **église Sainte-Bénigne** qui abrite un certain nombre de sculptures de qualité dont une superbe Vierge à l'Enfant du XVe siècle en bois polychromé, le somptueux portail de la **chapelle des Annonciades**, laquelle accueille, chaque été un Salon des artistes franc-comtois et suisses romands.

Parlant du château tout proche qui surplombe la région du haut d'un rocher cyclopéen, le poète Henri Chaillet a écrit :

« Dominant la vallée et défiant les cieux

« Tout à l'extrémité d'une roche hors d'atteinte

« Joux élève à l'abri d'une quadruple enceinte,

« Ses logis crénelés et son donjon fameux. »

Le **lac de Malbuisson**, avec sa base nautique, ses campings, ses hôtels et ses restaurants, attire chaque été des milliers de vacanciers. Quant au tourisme d'hiver, il s'est considérablement développé depuis quelques années grâce

L'élégant arc de triomphe de la porte Saint-Pierre, qui donne accès au cœur de la ville de Pontarlier.

à une promotion intelligente et à l'effort d'équipement de la station Métabief-Mont-d'Or.

A Mouthe, où le Doubs prend sa source et, plus loin, dans la longue vallée comprise entre les pentes du mont Risoux et la forêt du mont Noir, d'autres localités accueillantes servent de halte aux randonneurs des neiges. C'est le cas notamment des villages de Chaux-Neuve et de Chapelle-des-Bois où fut tourné le film tiré de mon roman : *la Grotte aux loups.*

L'immense plateau qui s'étend à l'ouest de Pontarlier, en direction de Levier est le pays des prés-bois où la vie rurale s'organise en activités agricoles ou sylvicoles rythmées par l'alternance des sai-

sons. On y traverse des paysages d'une parfaite harmonie, heureux mariage entre les pâturages et les forêts. Ici, d'innombrables troupeaux de montbéliardes blanches et rouges broutent une herbe drue sur des prairies dont les limites se perdent dans le large du ciel. Des villages pittoresques parsèment ces étendues herbagères, tous regroupés sagement autour de leurs clochers bulbeux. Les fermes sont énormes, avec de grands toits pointus qui descendent presque jusqu'au sol, des murs épais souvent revêtus de plaques de zinc ou de « tavaillons », ces planchettes de sapin servant d'isolation contre le froid et la neige. Bien que la mode soit hélas ! à la concentration des moyens de production, il reste encore dans ces villages du plateau, de nombreuses « **Fruitières** », les ancestrales coopératives laitières rurales qui continuent, selon les méthodes artisanales d'autrefois, à fabriquer le blond et onctueux fromage de Comté.

Dans les villages du Haut-Doubs on fabrique toujours, dans les « Fruitières », selon les méthodes ancestrales, l'onctueux fromage de Comté ou le Mont-d'Or, comme ici aux Longevilles.

LA HAUTE VALLEE
DE LA LOUE
ET SES MERVEILLES

Pendant des siècles, les habitants de la région s'interrogèrent en vain pour savoir d'où pouvaient venir les flots impétueux de la Loue dont la source jaillit, dans un vacarme assourdissant, des flancs d'une falaise haute de 100 m ? Cette énigme géologique fut élucidée en août 1901 dans des circonstances tragi-comiques qui méritent d'être contées.

Ce jour-là, pour une raison demeurée inconnue, un formidable incendie se déclara dans les locaux de la distillerie Pernod fils à Pontarlier. De gigantesques stocks d'alcool pur et d'absinthe se mirent à flamber. Craignant qu'ils ne communiquent le feu au reste de la ville, le maire ordonna aux pompiers de vider toutes les cuves encore pleines dans le Doubs. Les flots de ce dernier prirent aussitôt la teinte d'un pastis bien tassé. L'incendie fut rapidement circonscrit grâce à ce sacrifice mais, quelques heures plus tard, une forte odeur d'absinthe se répandit, à une quinzaine de kilomètres de là, dans le vaste cirque naturel de la haute vallée de la Loue. C'est ainsi qu'on découvrit que cette rivière n'était, en fait, qu'une simple résurgence du Doubs !

Aujourd'hui, si les **gorges de Nouailles**, où les eaux limpides de la Loue prennent naissance, ne sont plus parfumées à l'anis, les visiteurs vont d'émerveillement en émerveillement en parcourant

L'impressionnante cascade de Syratu.

cette vallée. **Grotte de la Vieille Roche, Saut du Pontet, puits de la Légarde, cascade de Syratu,** sont autant de lieux enchanteurs qu'on n'oublie plus.

Tout au long du cours capricieux de la Loue, des villages pittoresques s'offrent au regard et, par l'histoire de leurs monuments, à la délectation de l'esprit : Mouthier-

Dominant le ruban argenté de la Loue, le joli village de Mouthier-Hautepierre.

Ci-contre : *La région de Mouthier-Hautepierre au printemps lors de la floraison des cerisiers.*

Haute-Pierre, bâti autour de l'**église Saint-Laurent,** du XVIᵉ siècle, au curieux clocher octogonal ; Lods, avec ses toits bruns surmontant une cascade et l'arche d'un vieux pont moussu ; Vuillafans et son étrange **Moulin pendant.** Chaque détour de la route nous réserve une joie nouvelle enchaînant les uns après les autres d'admirables spectacles.

Ornans, charmante cité qui vit naître le chancelier Perrenot de Granvelle, puissant ministre de Charles Quint, mire son clocher à lanternon et les façades de ses pittoresques maisons en encorbellement dans l'eau verte de la Loue. Par analogie avec la capitale de la République sérénissime, on désigne souvent la ville sous le terme flatteur de « Petite Venise comtoise ». Son charme se suffit cependant bien à soi-même et n'a nul besoin de cette illustre comparaison pour enchanter ses hôtes.

Peu après Ornans se trouve le **Miroir de Scey,** vaste plan d'eau formé par une boucle de la Loue qui prend à cet endroit ses aises et réfléchit complaisamment les ruines d'un vieux moulin. Un peu plus bas, c'est le **château de Cléron,** véritable décor pour film médiéval avec ses tours, ses créneaux, ses mâchicoulis. Un peu plus loin, c'est Nans-Sous-Sainte-Anne dont le **château Mirabeau** rappelle les frasques du tribun et où se visite un **musée de la Taillanderie** consacré aux anciennes fabrications locales de faux et de faucilles. A proximité se trouve la **Source du Lison**, une des plus belles résurgences du Jura, le **Creux Billard** et la **grotte Sarrazine,** colossale caverne de 90 m de haut où l'on pourrait loger les tours de Notre-Dame.

Gustave Courbet a beaucoup peint les paysages et les gens de cette région. C'est ici qu'il prit conscience de son génie, de son lyrisme, de l'uni-versalité de son œuvre. Il fut bien le fils de cette terre, tantôt tout en douceur, tantôt tout en rudesse. A l'image des habitants de ce pays dont le tempérament est façonné par le climat et par l'Histoire. Descendant des vieux comtois qui, après la conquête française, se faisaient enterrer la face contre le sol pour ne pas voir briller les fastes de leur vainqueur, le Roi-Soleil, Courbet porta toujours sans son esprit et dans sa chair les passions de sa race. Tout au long de sa vie, comme Rouget-de-Lisle, Malet, Proudhon, Pasteur, il ne se montra guère docile avec le pouvoir en place, peu empressé à courber l'échine devant les puissants. Accusé d'avoir déboulonné la colonne Vendôme, il fut obligé de s'exiler après la Commune. Pauvre, persécuté mais toujours aussi fier, il mourut en Suisse, au bord du lac Léman, respectant jusqu'à la fin les idées résumées dans l'épitaphe qu'il voulait faire graver sur sa tombe :

« Ci-gît Courbet,
« Qui vécut sans courbettes ! »

Ornans, où naquit le peintre Gustave Courbet.

LE HAUT PAYS JURASSIEN

Morez, dont on a fêté le bicentenaire, il y a quelques années, est devenue, grâce à son dynamisme industriel, la capitale mondiale de la lunetterie. La ville, dominée par l'impressionnante montagne de la **Roche au Dade,** est fort curieuse avec ses maisons corsetées de fer qui bordent sa rue principale. Le **musée de la Lunetterie** est intéressant à visiter, de même que l'**église Notre-Dame,** récemment rénovée. Les amateurs de souvenirs romantiques ne manqueront pas de gravir la montagne pour retrouver, à l'**Essard-Brun,** celui de Lamartine. Ses ancêtres y avaient une vaste propriété. Le poète en garda toujours la nostalgie. Sur la fin de sa vie, alors qu'il était presque dans la misère, il écrivit ces mots :

Le Haut-Jura, avec les fermes oubliées, au fond des combes.

« J'ai la moitié de mon sang à cette source des montagnes jurassiennes ; j'ai la moitié de mes aïeux dans ces forêts, dans ces torrents, dans cette ville de Morez aujourd'hui si riche, si industrielle. Que n'y suis-je resté moi-même ? J'aurais fait par le monde un peu moins de bruit et ma vie aurait été plus heureuse… »

Entre ciel et terre, dans la solitude et l'immensité du Haut pays.

Sur l'autre versant de la haute vallée de la Bienne, le torrent grondant qui arrose Morez, on découvre avec admiration la « **Ligne des Hirondelles** », l'impressionnante voie ferrée aérienne dont les viaducs intrépides relient la cité lunetière au reste du monde. La station la plus proche est Morbier, un gros bourg rendu célèbre par ses horloges comtoises, sa charcuterie fine et son fromage au goût de buis fumé.

De Morez, par une pittoresque route en lacets, à travers les paysages grandioses de la « Vallée sans printemps » que célébra mon regretté ami Romain Roussel, il est aisé de rejoindre les Rousses, la jolie station dont le lac et les installations font le bonheur des touristes d'été et d'hiver. Il faut profiter d'un séjour dans l'un des accueillants hôtels du village pour effectuer une excursion dans la proche **forêt du Risoux.** Avec ses légendes, ses sortilèges, celle-ci est au Jura franco-suisse ce que

Les aurores, les crépuscules sont toujours d'une rare beauté dans le haut Jura.

Brocéliande est à la Bretagne. Ici, nous sommes au royaume de l'épicéa. Sur plus de 2000 hectares, les fûts pressés se dressent, telles les colonnades d'une gigantesque cathédrale. Il faut 250 ans pour qu'un sapin atteigne un diamètre de 50 cm. Mais quel bois cela produit ! Au temps de la marine à voile, les grands mâts des cap-horniers étaient taillés dans les épicéas du Risoux.

Les promeneurs qui parviennent au cœur de ce massif forestier sont récompensés de leurs efforts par la découverte d'un magnifique paysage sylvestre et d'une infinie variété de plantes alpines : lys martagon, renoncules à feuilles d'aconit, géraniums sauvages, roses des Alpes... Il n'est pas rare d'y rencontrer aussi des chevreuils, des chamois et, parfois, des grands tétras, les plus colorés des coqs de bruyère.

Près des Rousses, le complexe Prémanon-Lamoura offre, hiver comme été, de nombreuses possibilités de randonnées. Il ne faut pas manquer de visiter la **Maison**

Le Chapeau de Gendarme, une curiosité géologique dans la région de Saint-Claude.

Faucille où, depuis le sommet du **Mont-Rond,** s'offre un panorama hors de toute proportion humaine de 250 km de large sur 150 km de profondeur. Tous les massifs scintillants des Alpes se déploient devant les yeux éblouis des marcheurs : le Cervin, l'Aiguille verte, les Grandes Jorasses et bien sûr, le mont Blanc. En bas, le lac Léman, d'un bleu d'une pureté originelle, offre au regard ses baies, ses golfes, ses cités suisses et savoyardes étagées le long des rives, ses bateaux blancs comme des mouettes. Il s'agit d'un des plus merveilleux spectacles que la nature puisse offrir.

Par Lajoux, vieux village montagnard au cœur du **Parc national du Haut-Jura,** ce sera, par les **lacets de Septmoncel** et les **gorges de Flumen,** la descente vers la vallée de Saint-Claude. On admirera au passage, outre d'impressionnants précipices, le **Chapeau de Gendarme,** une curiosité géologique née des formidables plissements de l'ère tertiaire.

Pays de très vieille mémoire, grandiose décor de rocs, de torrents et de forêts, la **Terre de Saint-Claude** permet de mieux comprendre de quelles sources l'âme comtoise tira sa force au cours des siècles. L'épopée des moines défricheurs commença en effet au creux de cette vertigineuse vallée. En quelques générations, au prix d'efforts surhumains, après s'être frayés à la hache un chemin à travers les sapinières impénétrables qui avaient rebuté les légions de

de la Faune de Darbella-les-Jacobey où sont exposés 350 animaux naturalisés, le **Musée polaire Paul-Emile Victor** qui rassemble de passionnants souvenirs des expéditions réalisées par le grand explorateur

franc-comtois. On n'oubliera pas non plus un passage par la **Vallée des Rennes** et ses promenades en traîneaux.

En poursuivant la route qui longe la **forêt du Massacre,** un arrêt s'imposera au **col de la**

L'église romane de Saint-Lupicin.

La cathédrale Saint-Pierre, à Saint-Claude, renferme un trésor : les stalles en bois sculpté de Jehan de Vitry du XVᵉ siècle.

César, ces pionniers parvinrent à franchir ce massif alors habité par les ours et par les loups, et à relier les deux versants du Jura.

Malgré les évolutions de la société industrielle qui l'ont contrainte à se moderniser, Saint-Claude a conservé son charme de cité artisanale et un particularisme qui rend la vie des « montagnons » tout à fait agréable malgré la rigueur du climat. Chaque année, depuis le Moyen Age, on y célèbre notamment, au mois d'avril, la polissonne **fête des Souflaculs** au cours de laquelle de joyeux drilles en chemises blanches, armés de soufflets, tentent de chasser le diable sous les robes féminines.

Aujourd'hui, la fabrication des pipes, le tournage sur bois, le moulage du plastique et la taille des pierres fines sont les activités principales d'une ville qui vit naître les premiers syndicats, les premières coopératives ouvrières.

Avec ses hautes maisons acrobatiquement accrochées au flanc du **mont Bayard,** ses ponts hardis jetés comme un défi au-dessus du gouffre, cette vieille cité mérite à coup sûr un long arrêt. Il faut visiter la **cathédrale Saint-Pierre** ornée de magnifiques **stalles en bois sculpté** du XVᵉ siècle, l'exposition **de diamants et de pierres fines**, le **musée de la Pipe.** Il faut, par de pitto-

resques routes en lacets, se rendre à la **chapelle Saint-Romain,** but d'un pèlerinage très populaire depuis le XIVᵉ siècle et d'où la vue plonge sur la **vallée de la Bienne.** Après un arrêt à Saint-Lupicin dont l'**église du XIIᵉ siècle** est l'un des édifices romans les mieux conservés de Franche-Comté, on rejoindra le site mystérieux de la **cité d'Antre,** à Villard-d'Héria. On a retrouvé en ces lieux les ruines d'un temple gallo-romain et un colossal édifice appelé **Pont des Arches** qui est loin d'avoir révélé tous ses secrets.

Dans la vallée engloutie, le lac de Vouglans attire chaque année des milliers de touristes.

EN REMONTANT
LE COURS DE L'AIN

L'Ain, qui était autrefois l'une des rivières les plus sauvages du Jura, s'est assagi en devenant, en 1968, le réservoir du gigantesque **barrage EDF de Vouglans.** Avec ses 105 m de haut, ses 400 m de long, ses 25 m d'épaisseur à la base et ses 6 m à la crête, cet ouvrage, qui retient 600 millions de m³ d'eau est particulièrement impressionnant. Il m'a inspiré deux de mes romans les plus connus, *le Village englouti* et *le Barrage de la peur,* dont plusieurs mil-

liers de lecteurs viennent chaque année comparer sur place la part de réalité et de fiction.

A l'ouest du lac de Vouglans se trouve une région très pittoresque désignée ici sous le nom de « **Petite Montagne** ». Le bourg d'Arinthod, avec sa charmante place aux arcades, en est la minuscule capitale. De ce centre commercial et touristique, on peut rayonner vers Saint-Hymetière pour y découvrir son église romane, ainsi

qu'un peu plus loin Saint-Julien et la vallée du Suran, dont le joyau est l'**abbatiale de Gigny,** fondée au IXe siècle par l'abbé Bernon, futur bâtisseur de Cluny.

A l'est de la retenue de Vouglans, on visitera avec grand intérêt la cité de Moirans-en-Montagne et son **musée du Jouet** avant d'atteindre Clairvaux-les-Lacs. Nous serons au cœur de la **région des lacs,** des cascades, des bois de chênes, des landes couvertes de buis et de

Capitale de la fabrication du jouet français, Moirans-en-Montagne offre depuis peu à l'admiration des touristes sa magnifique Maison du Jouet.

Le lac de Chalain, paradis des vacanciers.

genévriers. Charles Nodier comparait ce décor vivifiant, heureux mariage de l'eau, du ciel et de la solitude à la « Petite Ecosse ». Tel un collier de perles égrenées entre les forêts et les pâtures, les lacs sont une dizaine à offrir leur enchantement. Le plus connu est Chalain, avec ses subtiles variations lumineuses, dont le berceau marneux fait mieux ressortir le bleu turquoise. C'est devenu un centre de tourisme international. Sur ses plages et ses campings,

Hollandais, Belges, Allemands côtoyent les Parisiens et les gens du Nord pour profiter ensemble des plaisirs de la baignade, de la voile et aussi des joies bucoliques des randonnées forestières.

Parmi les autres lacs qui parsèment la région, celui de Bonlieu a toujours ensorcelé les peintres et les poètes par sa beauté romantique. Il n'est pas de site jurassien plus mystérieux. Les frondaisons riveraines, les pierres tourmentées gravées de signes étranges que l'on trouve alentour, les brumes qui le nimbent au crépuscule évoquent les mythologies primitives et suggèrent l'indéfinissable présence des mondes parallèles. N'est-ce pas d'ailleurs en ces lieux que, selon la légende, serait née la **Vouivre,** le fabuleux animal, mi-oiseau, mi-serpent, dont le sillage lumineux sillonne encore parfois le ciel des nuits comtoises ?

Sur le plateau, partout où les routes permettent d'accéder au sommet des falaises, des belvédères ont été aménagés. On peut y embrasser de vastes horizons et contempler tous les miroirs d'eau essaimés au creux des vals. Pour apprécier le merveilleux spectacle offert par la nature, il faut savoir quitter la voiture et grimper dans la montagne. C'est ainsi qu'en suivant le cours d'un frais torrent on pourra découvrir les **cascades du Hérisson.** Celles-ci s'épanouissent, du haut d'un majestueux amphithéâtre naturel dans une chute de 70 m, telle la vaporeuse chevelure d'une nymphe.

Réputée pour son dynamisme industriel, Champagnole est également une agréable ville étape sur la RN 5 conduisant vers la Suisse. Elle est environnée de sites d'une grande beauté, les **cascades de la Billaude,** les **chutes de l'Ain,** la **forêt de La Joux** et ses gigantesques **sapins présidents** dont les cimes culminent à 45 m du sol. Quant à la petite cité médiévale voisine de Nozeroy, elle a conservé une partie de ses murailles, une porte fortifiée et un grand nombre de maisons anciennes qui lui donnent un cachet tout à fait remarquable.

L'un des lacs sauvages du Jura : le lac d'Ilay.

LONS-LE-SAUNIER ET LE REVERMONT

Chef-lieu du département du Jura, Lons-le-Saunier est une active cité administrative et marchande qui vit naître Rouget-de-Lisle, l'auteur de *la Marseillaise*. Parce qu'il possédait le caractère fier et ombrageux des vieux Comtois et qu'il manquait de souplesse d'échine, ce soldat-poète mourut quasiment dans la misère pour avoir trop bien illustré le dicton : « Comtois, tête de bois ! » Un Lédonien contemporain, mon ami Bernard Clavel, a lui aussi hérité ce caractère farouchement indépendant qui fait l'originalité mais aussi la force de son œuvre.

Ville thermale dont les eaux chlorurées iodiques sont réputées dans le traitement des troubles de la croissance chez l'enfant et des rhumatismes, Lons-le-Saunier connaît depuis peu un fort développement économique qu'une nouvelle autoroute accroîtra encore prochainement.

L'**hôtel de ville**, auquel sa façade confère une allure de palais, a été construit sur les ruines d'un ancien château fort. L'une de ses ailes abrite le **musée des Beaux-Arts** où

Lons-le-Saunier, chef-lieu du Jura, une ville où il fait bon flâner :
les maisons vigneronnes
(en haut),
l'établissement thermal
(au centre),
les arcades de la rue du commerce (en bas).

ont exposés de nombreux tableaux et sculptures de qualité, en particulier deux répliques de Pieter Bruegel le Jeune, des toiles de Gustave Courbet et des œuvres remarquables du sculpteur local Jean-Joseph Perraud. Le **musée d'Archéologie** a été quant à lui récemment installé près du **Puits-Salé**, l'un des lieux historiques de la cité où les hommes du néolithique utilisaient déjà le sel du sous-sol lédonien.

L'**hôtel-Dieu,** bâti au XVIIIe siècle, est une harmonieuse construction surmontée d'un campanile. Sa cour fleurie est protégée par une grille aux arabesques de fer doré. Le monument le plus vénérable de Lons-le-Saunier est l'**église Saint-Désiré,** grand vaisseau de pierre du premier art roman où l'on peut admirer une très originale **Mise au tombeau** de l'école bourguignonne du XVe siècle. A l'intérieur du sanctuaire, un escalier conduit à une **crypte à trois nefs,** merveille de sobriété et d'équilibre construite au XIe siècle pour abriter les restes de saint Désiré. Ancien couvent des bénédictins, la **préfecture** est un bel ensemble architectural où se trouve un curieux monument en forme de bassin dont aucun historien n'a pu,

Une fière forteresse : le château du Pin près de Lons-le-Saunier.

L'église de l'Abbaye de Baume-les-Messieurs, au pied des imposantes falaises et des vignes du Revermont.

jusqu'ici, déterminer l'origine et l'usage.

C'est aux accents des six premières notes de *la Marseillaise,* égrenées à chaque heure par l'horloge du théâtre qu'on visitera les différents quartiers de la ville et notamment la **rue du Commerce,** bordée de galeries aux arcades irrégulières du plus plaisant effet. Quant à la **place de la Comédie,** plusieurs de ses maisons pimpantes conservent encore sur les linteaux de leurs portes les serpettes gravées signalant qu'elles appartenaient autrefois à des vignerons.

La proche région de Lons-le-Saunier est riche en sites d'une grande beauté. A l'est, du haut de l'impressionnant **belvédère de Crançot,** on domine la grandiose **reculée de Baume-les-Messieurs.** Cette vallée sauvage enserrée entre deux falaises calcaires aux crêtes ourlées de buis,

mène au **Bout du Monde,** c'est-à-dire à un hémicycle abrupt de 100 m de haut. Dans sa paroi, sous la **cascade de la Queue de Cheval** s'ouvre les célèbres **grottes de Baume** aux salle immenses décorées de draperies pétrifiées. Au creux de la reculée, dans un silence qui invite au recueillement, se niche l'abbaye bénédictine de Baume. En ces lieux où la beauté de la nature met en valeur l'architecture romane des bâtiments conventuels, des artistes ont aujourd'hui remplacé les moines, redonnant à ce site méditatif son rôle originel de sanctuaire de l'esprit.

Au nord-ouest s'étend la plaine de la **Bresse jurassienne,** parsemée d'innombrables étangs, de forêts propices aux randonnées pédestres. Au nord commence le vignoble, dominé par les fières forteresses d'**Arlay,** du **Pin,** de **Frontenay** et par le vieux vil-

97

Château-Chalon, dont les vignes produisent le fameux vin jaune et où, durant la nuit de Noël, depuis les temps celtiques, on fait tourbillonner les Fayes.

lage de **Château-Chalon.** Ses antiques murailles, ses maisons aux terrasses imbriquées les unes aux autres comme une composition cubique offrent, depuis Voiteur, un magnifique spectacle. Dans ses souterrains, les dames abbesses d'un monastère aristocratique, celaient autrefois leur trésor. On y élabore aujourd'hui, par une secrète alchimie, le fameux **vin jaune,** ce nectar des côteaux jurassiens dont Colette, la Bourguignonne, reconnaissait sans chauvinisme qu'il était « l'un des plus grands crus qu'il y ait au monde ». Château-Chalon et les villages voisins perpétuent aussi chaque année une tradi-

En pages suivantes : *Sur les pentes douces du Revermont, qu'on appelle aussi le « Bon Pays », les rangs serrés de la vigne composent un étonnant tableau.*

tion plus de deux fois millénaire : celle des **Fayes,** les grandes torches que les habitants font tourbillonner tels des soleils fous, au sommet des collines, durant la nuit de Noël.

Au sud de Lons-le-Saunier, s'étend le **Revermont.** Les vignobles de Montaigu, Gevingey, Vincelles, Augéa, forment le piédestal d'or du premier plateau. Les petites cités de Beaufort, de

Cousance, réputées pour leur gastronomie, méritent un arrêt, de même que le **château de Cressia** où résida Bussy-Rabutin et de **Saint-Laurent-la-Roche** que défendit le capitaine Lacuzon, héros des

guerres de l'indépendance comtoise au XVIIᵉ siècle.

Capitale du Revermont, Saint-Amour, au nom si évocateur, est l'une des villes les plus fleuries du Jura. De nombreux touristes en apprécient le charme, telle cette comédienne célèbre qui la para de toutes les vertus en proclamant :
« A Saint-Amour...
« On y revient toujours ! »

Chaque vigne a sa maisonnette où le vigneron range ses outils et prend un peu de repos.

SALINS, ARBOIS, POLIGNY, LE « TRIANGLE D'OR »

Bien avant l'invasion romaine, les Séquanes exploitaient déjà les gisements de sel du sous-sol salinois. Les envahisseurs donnèrent un essor considérable à la ville et firent rayonner autour d'elle plusieurs routes dont on retrouve la trace en maints endroits. Bien que dépossédée de son titre de « capitale comtoise du sel », Salins-les-Bains n'en a pas moins conservé sa renommée grâce à son **établissement thermal** dont les eaux très actives guérissent maintes maladies osseuses.

Dominée par le **mont Poupet** et par deux forteresses édifiées par Vauban, la ville est riche en monuments. Le **bâtiment des Salines** permet d'accéder au **Puits à Muyre,** incomparable chef-d'œuvre de l'architecture industrielle du XIIe siècle. Dans une immense galerie de 400 m de long, aux arcs brisés soutenus par d'énormes piliers, cette cathédrale souterraine, étincelante de concrétions salines, est mise en valeur par un éclairage intelligent. On peut y admirer l'extraordinaire machinerie en bois, aux lignes aussi fantastiques que les gravures de Piranèse, grâce auxquelles on remontait autrefois le sel des entrailles de la terre.

L'**église Saint-Anatoile,** dont l'origine remonte au XIIIe siècle, est la plus harmonieuse des églises gothiques du Jura. Sa façade est ornée

Salins-les-Bains, l'un des points du « Triangle d'or ».

d'un portail bourguignon en plein cintre et de splendides portes flamboyantes.

Salins-les-Bains est également réputée pour ses faïenceries aux formes et aux dessins très originaux. Cette production locale fort ancienne dont on peut admirer de beaux spécimens en visitant la **pharmacie de l'hôpital,** fut remise à l'honneur, au siècle dernier par le peintre céramiste Max Claudet.

Pour rejoindre Arbois depuis Salins-les-Bains, il est préférable de grimper sur le plateau et, par le **cirque du Fer à Cheval** et la **reculée des Planches,** de redescendre vers les côteaux moelleux du « **Bon Pays ».** Cette région est ainsi nommée parce que sur les pentes douces des premiers contreforts jurassiens où les torrents d'eaux vives jaillissent en cascatelles, la vigne généreuse mûrit au soleil sous un ciel d'une rare luminosité. Elle orne les collines d'un collier fabuleux dont chaque perle célèbre un grand cru : montigny, pupillin, arbois...

Un soleil généreux a mûri à point ce beau raisin de Pupillin.

Les roches, la forêt enserrant une étroite vallée, c'est ce qu'on appelle une reculée. Ici, la reculée des Planches, près d'Arbois.

Dans ce canton, on cultive aussi un état d'esprit très particulariste. On dit qu'on est « en Arbois », comme ailleurs on est « en Avignon ». La ville est dominée par la tour carrée de l'**église Saint-Just,** bel édifice en pierre rougeâtre où les vignerons viennent chaque année faire bénir une énorme grappe constituée d'une multitude de pampres de raisins

noirs et blancs, lors de la célèbre **fête du Biou.**

Arbois, qui s'honore de posséder la **maison familiale de Pasteur,** où le savant venait en vacances, présente aussi le très beau **Musée Sarret de Grozon,** richement meublé et décoré d'œuvres des grands artistes régionaux.

Cité réputée pour la qualité de ses restaurants où l'on peut déguster toutes les spécialités gastronomiques comtoises, Arbois est aussi le sanctuaire des **vins du Jura.** On en produit dans la région une gamme complète : arbois rouge qui se savoure un peu frais, arbois blanc que l'on boit légèrement frappé, rosé-de-pupillin aromatisé, savagnin-de-montigny au subtil goût de terroir, vin mousseux, qui n'a rien à envier au champagne, vin de paille si délectable...

Il y a de cela trente ans, en me faisant déguster l'un des fleurons de sa cave, un vieux vigneron jurassien m'avait demandé de trousser un poème à la gloire des vins du Jura. Permettez-moi de me citer en reproduisant ce quatrain :
« Dieu fit le monde et créa,
« Dit-on, sept ou huit merveilles.
« Il en mit une en bouteille :
« Ce fut le vin du Jura ! »

La vendange, c'est beaucoup de fatigue mais aussi beaucoup de plaisir pour le vigneron lorsque les cuveaux pleins arrivent au pressoir.

Le vin d'Arbois.
Plus on en boit
Plus on va droit !

Poligny, nichée au creux de la verte **reculée de Vaux,** est aussi partie prenante dans l'association des villes du **Triangle d'or**. Ses vins entreposés sous les voûtes gothiques du **caveau des Jacobins** sont bien aussi fameux que ceux d'Arbois. On pourra les déguster en même temps qu'un excellent **fromage de Comté,** car on trouve ici de nombreuses caves de d'affinage et une **Ecole nationale d'industrie laitière** qui forme les meilleurs fromagers de France.

En parcourant les rues de cette vieille cité où se côtoyent couvents et hôtels particuliers aux grands portails de bois sculpté, on visitera avec admiration la belle **église romane de Mouthier-**

La collégiale Saint-Hippolyte à Poligny.

Ci-contre : Poligny, petite cité industrieuse au riche passé historique.

Vieillard dont le solide clocher à flèche de pierre grise, du XIIIᵉ siècle domine les quartiers vignerons. Quant à l'**église Saint-Hippolyte,** vaste sanctuaire du XVᵉ siècle, elle rassemble, sur une poutre de gloire, une importante série de sculptures de l'école bourguignonne.

109

Au cœur des vieux quartiers de Dole : l'hôtel de Champagney, du XVIIᵉ siècle.

Ci-contre : *La basilique
Notre-Dame de Dole,
phare des libertés comtoises.*

DOLE, VILLE DE TRADITION ET D'AVENIR

A deux heures de Paris ou de Genève par le TGV, Dole est, de l'avis des amateurs d'art, la plus belle ville de Franche-Comté. C'est aussi la plus riche en souvenirs historiques. Pour la découvrir en entier dans son cadre verdoyant, il faut d'abord monter sur le **Mont-Roland,** la colline d'espérance qui la domine, à l'ouest. En ces lieux où l'on peut admirer un vaste panorama sur le Jura et les Alpes, le blanc **sanctuaire Notre-Dame,** haut dressé dans le vent éternel, attire chaque année des milliers de fidèles lors de deux grands pèlerinages. En bas, la cité lovée dans une boucle du Doubs, avec ses toits bruns savamment ordonnés entre ses remparts moussus, au pied de l'imposante **basilique Notre-Dame,** phare glorieux des libertés comtoises, offre la vue d'un des plus prestigieux sites urbains de France.

Il est des villes dont l'approche est facile et qui révèlent d'emblée tous leurs attraits. Il en est d'autres, plus pudiques, qui ne dévoilent pas aussitôt leurs charmes et ne divulguent qu'à des visiteurs privilégiés leurs beautés cachées. Telle est Dole, cité mystique et noble, qui fut, avant son annexion par Louis XIV, capitale de la Franche-Comté. Il faut la découvrir au pas du promeneur pour en apprécier toute la séduction.

Le nom de Dolla, la bourgade qui était, au temps des

Burgondes, le chef-lieu du canton d'Amaous (aujourd'hui **le Val d'Amour**), n'apparut dans les textes qu'au début du XIe siècle. Frédéric Barberousse y fit construire un pont sur le Doubs et un château autour duquel l'agglomération se développa. Les comtes et duc de Bourgogne ne cessèrent pas de s'intéresser à Dole durant tout le Moyen Age. Ils y concentrèrent les institutions essentielles au pouvoir, parlement, chambre des comptes, hôtel des monnaies, université. La cité doloise devint ainsi un centre administratif et culturel renommé dans toute l'Europe.

Après la mort de Charles le Téméraire, la ville, médiocrement fortifiée, fut prise par les armées de Louis XI. La population fut massacrée, les maisons complètement rasées à l'exception de l'**hôtel de Vurry,** d'une partie du **couvent des Cordeliers** et de la **tour de Chamblanc** aujourd'hui seuls vestiges de l'époque médiévale. Les Français n'épargnèrent qu'une cinquantaine de Dolois qui résistèrent à l'intérieur de la **Cave d'Enfer.** Ce furent ces rescapés qui entreprirent la reconstruction de la cité et l'entourèrent de solides remparts grâce auxquels, en 1636, lors d'un siège mémorable dont j'ai conté l'épopée dans *la Louve du Val d'Amour,* elle put triompher de la puissante armée du prince de Condé.

Ville protégée par un secteur sauvegardé, Dole forme un ensemble architectural d'une très grande unité. Les belles demeures bourgeoises des XVe, XVIe et XVIIe siècles sont unies les unes aux autres dans une harmonie familière. Ici, le passé est partout vivant. Il affleure des

La basilique Notre-Dame domine, de sa masse imposante, les quartiers historiques de Dole.

pavés, il transparaît sur les façades flanquées d'échauguettes, dans les tourelles à poivrières, dans les fenêtres à meneaux, les grilles ventrues, les balcons, les patios « à l'espagnole ».

L'**hôtel de Froissard,** du XVIe siècle, l'**hôtel de Champagney** et, de la même époque, la **chapelle des Jésuites,** sont des monuments remarquables. Quant à l'**hôtel-Dieu,** c'est un bel ensemble du XVIIe siècle avec son cloître voûté d'ogives, sa tourelle polygonale, son puits orné de ferronneries et son balcon extérieur soutenu par des consoles sculptées.

Ville en constante rénovation grâce aux efforts de sa municipalité et de ses habitants, Dole s'enorgueillit désormais de son magnifique **musée des Beaux-Arts et d'Archéologie,** où se trouve le Fonds régional d'art contemporain. Celui-ci, de même que les **archives municipales,** est installé dans l'ancien **pavillon des Officiers,** face à la monumentale **fontaine Attiret.** Le **nouvel hôtel de ville,** au parvis flanqué d'une élégante pièce d'eau et de fort belles sculptures modernes, a pris la place de l'ancienne prison dont l'arrière s'orne de colonnes doriques surmontées d'un fronton triangulaire. Quant à l'ancien **couvent de la Visitation** adossé aux vieux remparts, il est devenu un centre administratif et culturel agrémenté d'un plaisant jardin. Seule, la **bibliothèque municipale** demeure encore située dans les bâtiments du lycée de l'Arc, en attendant que ses 60 000 volumes anciens, ses précieux manuscrits enluminés, soient transférés dans des lieux plus propices à leur conservation et au travail des chercheurs.

Dole n'est fort heureusement pas qu'une merveilleuse ville musée. Grâce à la proximité du complexe pétrochimique de Tavaux, à ses usines de haute technologie en matière d'électronique, de céra-

Près de Dole, le sanctuaire Notre-Dame de Mont-Roland attire chaque année des dizaines de milliers de pèlerins.

mique vitrifiée, à ses fabriques de produits alimentaires, c'est au contraire une cité en pleine expansion qui, avec ses atouts dans le domaine des communications, devrait devenir un important pôle d'attraction au XXIᵉ siècle.

La ville s'est aussi ouverte à l'art moderne. Le *Cyclope Polyphène* qui orne la **Cité Barberousse,** l'*Apocalypse* de Calka à l'**église Saint-Jean,** les **fresques de Vasarely** sur la façade du **collège Nicolas-Ledoux,** mais aussi l'amusante statue des *Trois Commères* de Boetcher sur la **place aux Fleurs,** assurent une transition heureuse entre les arts plastiques du passé et ceux des temps futurs.

Nul visiteur conscient des vraies valeurs humaines ne doit passer à Dole sans rendre hommage à la mémoire de **Louis Pasteur,** le grand bienfaiteur de l'humanité. Dans la rue qui porte son nom, sa **maison natale** est devenue un musée où sont rassemblés plusieurs documents et instruments scientifiques qu'il utili-

La place aux fleurs et ses statues.

La maison natale de Louis Pasteur, devenue aujourd'hui un musée.

La statue de Louis Pasteur sur le cours Saint-Mauris.

En pages suivantes : *Depuis de nombreux belvédères, dans le Haut-Pays, on découvre dans le lointain les sommets du Jura suisse, comme ici à Arc-sous-Cicon.*

sa lors de ses recherches. Au sous-sol de l'immeuble, au bord du pittoresque **canal des Tanneurs,** on découvre l'atelier où travaillait son père, les outils qu'il utilisait pour racler, pour tanner les peaux. Lorsqu'on évoque le labeur harassant de cet artisan, pei-

nant chaque jour dans l'obscurité, le froid, l'humidité, on saisit mieux, dans sa signification profonde, le cri de reconnaissance que le savant adressa, en 1883, à ceux dont les sacrifices quotidiens avaient permis l'épanouissement de son génie :

« O mon père et ma mère !
« O mes chers disparus
« Qui avez si modestement vécu
«C'est à vous que je dois tout ! »

LA FRANCHE-COMTE C'EST...

Une province fortement conscient de son identité régionale, dont la capitale est Besançon. Elle regroupe, sur une superficie de 16 202 km² (3 % de la France), les trois départements du Doubs, du Jura, de la Haute-Saône et le Territoire de Belfort. Elle est peuplée par 1 100 000 habitants dont 31 % ont moins de 20 ans.

5350 km de cours d'eau, dont 4500 sont praticables pour la pêche (brochet, truite, perche, sandre, écrevisse...).

80 lacs d'une grande beauté aménagés pour la

Une région au glorieux passé historique, qui a su préserver le capital inestimable de sa nature et dont l'avenir s'annonce prometteur.

baignade, la voile, la plongée, le ski nautique ; 320 km de voies d'eau navigables propices au tourisme fluvial ; d'innombrables sources, cascades, torrents, étangs, soit 3800 hectares de plans d'eau.

La région la plus boisée de France, 695 000 hectares, soit 43 % du territoire régional (forêt de Chaux et ses hardes de grands cerfs, forêt de la Joux et ses sapins présidents, forêt du Risoux, ses « trous à gelée » et ses légendes...).

De superbes montagnes de moyenne altitude (crêt Pela

En page suivante : *Des paysages d'une grande diversité où la forêt tient toujours une place prépondérante.*

1495 m, mont d'Or 1423 m...).

2000 km de sentiers de grande randonnée, des centaines de belvédères.

Le plus grand et le plus beau réseau souterrain d'Europe, 15 grottes et gouffres aménagés.

La pratique de tous les sports d'été (golf, tennis, voile, canoë-kayak, plongée sous-marine, spéléologie, varappe, parapente, montgolfière, équitation, aviation...).

Eté comme hiver, la Franche-Comté permet la pratique de tous les sports.

Quel plaisir de découvrir la Franche-Comté à bord d'une « verdine » de bohémien !

Ci-contre : Arc-et-Senans, prestigieux décor pour la fête du ciel.

Des milliers de kilomètres de « neiges sans traces » à travers les combes et les sapinières.

De nombreuses possibilités d'hébergement, 25 000 places en hôtels ; 125 terrains de camping ; 5000 gîtes ruraux, meublés, gîtes d'étapes, refuges ; 25 000 places en maisons familiales et centres de vacances.

Un remarquable équipement pour les sports d'hiver, 2500 km de pistes de fond ; 2 stations classées en ski alpin : Métabief, Les Rousses ; 140 remontées mécaniques ; 12 tremplins de saut ; 4 patinoires ; des circuits pour luges, traîneaux, scooters des neiges...

Un climat tonique, recommandé pour les cures de détente, pour les cures de repos après les affections cardiaques ; 4 stations thermales pour les traitements des maladies osseuses, de croissance chez les enfants, des rhumatismes... (Besançon, Luxeuil-les-Bains, Lons-le-Saunier, Salins-les-Bains).

Des monuments prestigieux : Saline royale d'Arc-et-Senans, forteresses de Vauban, Lion de Belfort, abbayes de Baume et d'Acey, église de Ronchamp, château de Joux ; des centaines d'églises, de chapelles, de calvaires, de châteaux, d'hôtels particuliers, de fermes montagnardes typiques.

Des musées intéressants exposant les œuvres des plus grands peintres anciens et contemporains ainsi que les aspects du passé archéologique, ethnologique, historique et folklorique de la région.

Des villages où la vie s'écoule encore selon la tradition et le rythme des temps passés.

Des industries performantes dans les domaines de la construction ferroviaire, nucléaire, automobile, électrique, horlogère, informatique, robotique, lunetière, dans le laser, la pétrochimie, le meuble, le textile, le jouet, la bijouterie, la pipe la taille des pierres précieuses.

Une production savoureuse en matière laitière, fromagère, alimentaire ; (fromage de Comté, morbier, septmoncel, mont-d'or, cancoillotte, tartinette, apéricube, jambon fumé, jésus de Morteau, miel de montagne...).

Une gamme de vins renommés (poulsard, savagnin, gamay, pinot, chardonnet, vin jaune, vin de paille, vin mousseux...).

Une population accueillante pour laquelle l'hospitalité est une vieille tradition.

Des concerts, des spectacles « son et lumière » agrémentent les nuits d'été.

De nombreuses animations d'été et d'hiver (théâtre, concerts, expositions, sons et lumières, foires commerciales, fêtes sportives et folkloriques). Une pléiade d'écrivains, de poètes, d'historiens, de peintres, sculpteurs, cinéastes, photographes régionaux assurant une production littéraire et artistique de qualité.

Une région que l'on se prend à aimer après l'avoir découverte et où l'on revient !

André Besson a aussi écrit pour vous...

Aux Editions Mon Village SA :

LA GROTTE AUX LOUPS - roman - Prix International du Terroir - traduit en langue allemande - adapté pour la télévision (téléfilm diffusé par TF1, SSR, RTB)

LE VILLAGE ENGLOUTI - roman - Prix Emile Zola - traduit en langue allemande - adapté pour la télévision (Série en 30 épisodes diffusée par TF1, les TV européennes et américaines)

LE BARRAGE DE LA PEUR - roman - (Suite du «Village englouti »)

LA MARIE DES BOIS- roman

ALEXANDRE LE VANNIER- roman

LE DERNIER DES AUVERNOIS- roman -Trilogie traduite en langue allemande

LE MOULIN DU SILENCE- roman

Aux éditions France-Empire:

LA LOUVE DU VAL D'AMOUR - roman - Prix Louis Pergaud - traduit en langue espagnole - Adapté pour la scène, la radio et la télévision, spectacle « Son et lumière » (pièces diffusées par la RTF, téléfilm par FR3)

LES MAQUIS DE FRANCHE-COMTE Histoire - Prix Fondation Victor Moritz - Traduit en langue anglaise.

MON PAYS COMTOIS - Histoire, folklore et traditions

UNE FILLE DE LA FORET - Souvenirs Prix des écrivains de langue française

LES TRENTE JOURS DE BERLIN - Histoire-Reportages

CONTREBANDIERS ET GABELOUS - Récits

Aux Nouvelles Editions Latines :

MARGUERITE D'AUTRICHE - biographie - Prix littéraire de la Ville de Dijon.

Aux Editions Larousse :

LA FRANCHE-COMTE ET SES TRESORS - Histoire de l'Art.

André Besson a aussi obtenu, en 1987, pour l'ensemble de son œuvre, le prix littéraire Edgar Faure, de l'Académie française.

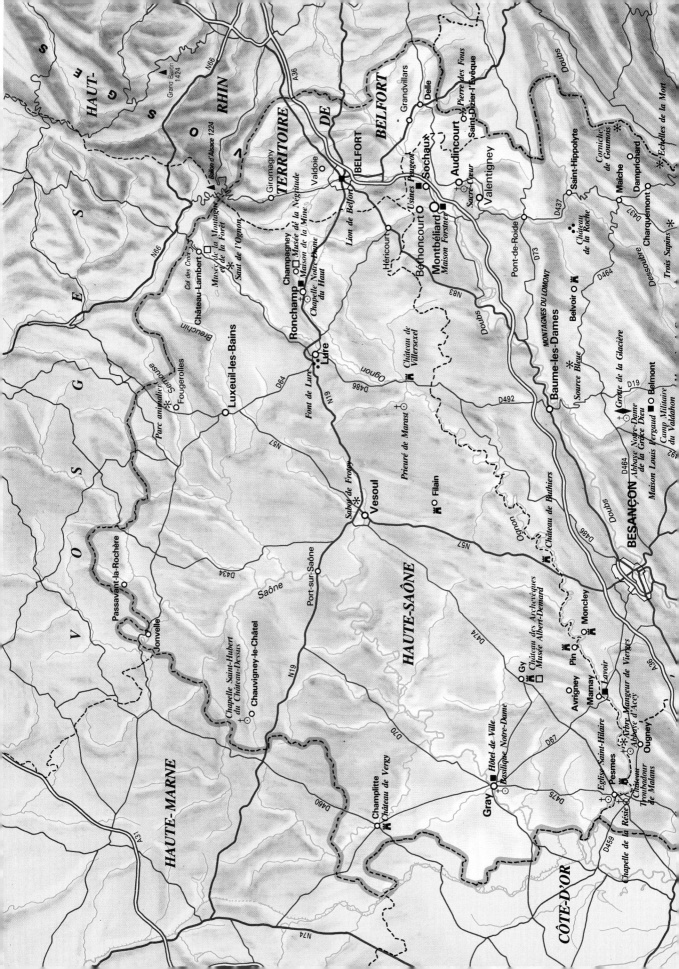

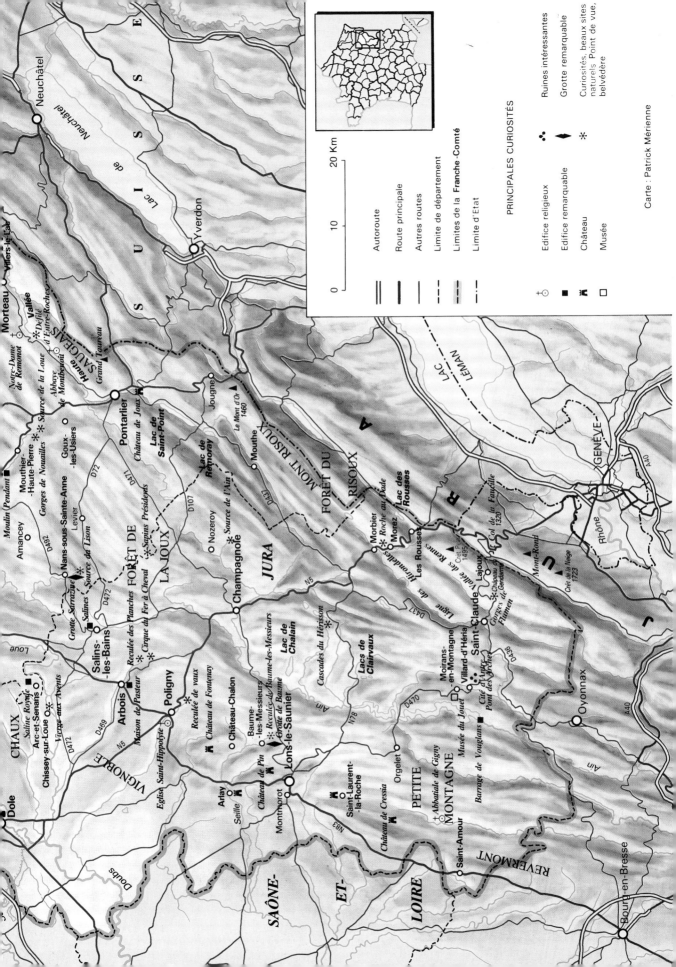

PRINCIPALES CURIOSITÉS

	Autoroute	
	Route principale	
	Autres routes	
	Limite de département	
	Limites de la Franche-Comté	
	Limite d'État	

Edifice religieux
Edifice remarquable
Château
Musée

Ruines intéressantes
Grotte remarquable
Curiosités, beaux sites naturels, Point de vue, belvédère

0   10   20 Km

Carte : Patrick Mérienne

Table des matières

Crédit photographique : Atelier M. Bevalot Photothèque : Gilles Pernet, Yves Perton, Jean-Pierre Bevalot, Michel Bevalot. Hervé Boulé : page 10.

Cet ouvrage a été imprimé par Aubin Imprimeur à Ligugé (Vienne)
Broché : I.S.B.N. 2.7373.0320.6 - Dépôt légal : mars 1990 - N° éditeur : 1626.03.03.02.93
Cartonné : I.S.B.N. 2.7373.1262.0 - Dépôt légal : février 1993 - N° éditeur : 2603.02.04.08.94